San Manuel Bueno, mártir
Cómo se hace una novela

Biblioteca Unamuno

Miguel de
Unamuno

San Manuel Bueno, mártir
Cómo se hace una novela

Presentación de
Paulino Garagorri

El libro de bolsillo
Biblioteca de autor
Alianza Editorial

Primera edición en «El libro de bolsillo»: 1966
Vigésima segunda reimpresión: 1997
Primera edición, revisada, en «Biblioteca de autor»: 2000
Primera reimpresión: 2001

Diseño de cubierta: Alianza Editorial
Ilustración: Ignacio Zuloaga. *Paisaje* (fragmento). © VEGAP. 2000
Proyecto de colección: Odile Atthalin y Rafael Celda

© Herederos de Miguel de Unamuno
© Alianza Editorial, S.A., Madrid, 1966, 1968, 1971, 1974, 1976, 1977,
  1979, 1980, 1981, 1983, 1985, 1986, 1987, 1988, 1989, 1990, 1992, 1994,
  1995, 1996, 1997, 2000, 2001
  Calle Juan Ignacio Luca de Tena, 15; 28027 Madrid; teléf. 91 393 88 88
  ISBN: 84-206-3762-9
  Depósito legal: M. 6.979-2001
  Impreso en Fernández Ciudad, S. L.
  Printed in Spain

Presentación
La novela de Unamuno

La obra novelesca de Unamuno principia con su primer libro, Paz en la guerra *(Madrid, 1897), y culmina con el primer relato de su penúltimo libro,* San Manuel Bueno, mártir, *y tres historias más (Madrid, 1933). El último fue* El hermano Juan o el mundo es teatro. Vieja comedia nueva *(Madrid, 1934). La huella escrita de uno de los hombres más reflexivos y meditabundos que se han expresado en nuestra lengua dio, pues, comienzo y fin con la prosa fantástica de la creación literaria. La importancia del «san Manuel» de Unamuno (inicialmente divulgado en «La novela de hoy») fue pronto reconocida, y en el prologuillo que antepuso a la edición citada recogía el juicio de que «esta novelita ha de ser una de mis obras más leídas y gustadas en adelante, como una de las más características de mi producción toda novelesca». Y agregaba: «Y quien dice novelesca dice filosófica y teológica. Y así pienso yo, que tengo la conciencia de haber puesto en ella todo mi sentimiento trágico de la vida cotidiana».*

La fama y la estimación hacia esta «novelita» no ha hecho sino crecer y confirmarse con el paso del tiempo. Obra de madurez y de síntesis, resume y expresa con una sobriedad definitiva su «sentimiento trágico de la vida cotidiana». Y no creo aventurado decir que para Unamuno la vida cotidiana significaba el nivel más hondo de la existencia humana. No es Unamuno un autor que pueda reducirse a ninguna de sus obras, y ni siquiera las incontables cuartillas que fue manuscribiendo cada día durante muchos años contienen el ímpetu que anidaba en su persona. Sin embargo, en el trance de elegir una que fuese lo mejor y más representativo para esta universidad popular que quiere ser nuestro libro de bolsillo, el «san Manuel» de Unamuno aparece en primer término. Novela que es a un tiempo filosofía y teología, según él escribe, y además –y como toda su obra– me permito agregar que es autobiografía imaginaria y fiel trasunto de sus más íntimas congojas y esperanzas.

A esta obra maestra –a su mejor novela–, he creído adecuado agregar otro escrito, quizá el más informe de todos los suyos, pero en el que el desnudamiento de su intimidad nos lleva como a una palpación del destierro y la orfandad desde que fue redactado. Su argumento y título –«Cómo se hace una novela»– resulta además el mejor complemento de la obra precedente. La prolija explicación de sí mismo que ese texto contiene exime de dilatados preámbulos. El escrito se proyecta como una confidencia o confesión; se convierte en diálogo –con Jean Cassou–; termina en diario, que podía continuarse o cesar en cualquier momento. Aunque la inspiración sea en buena parte distinta, próxima al monólogo a varias voces pirandelliano, alejada del precursor «Journal» des Faux-Monnayeurs de André Gide, la tarea de Unamuno resulta afín al prurito de muchos autores contemporáneos que gustan destripar sus novelas y contarnos los caminos andados en el proceso de fabricación de sus mentefacturas. Mas quizá el precedente estaría en las extraordinarias Memorias del subsuelo *(1864) de Dostoievski. Como en ellas, el itinerario intelectual del relato nos lleva a la profundidad del subterráneo de la vida mental, a la germinación imaginativa, novelesca, de la trama de la propia vida. Y a despecho de apariencias, la especulación unamuniana trasciende el subjetivo narcisismo. «Contar la vida ¿no es acaso un modo, y tal vez el más profundo, de vivirla?», se dice Unamuno en estas páginas. Pero agrega: «¿Cuándo se acabará esa contraposición entre acción y contemplación? ¿Cuándo se acabará de comprender que la acción es contemplativa y la contemplación es activa?».*

La reedición del relato «Cómo se hace una novela» –cuyo más propio título quizá fuese «La novela de Unamuno»– tiene además el aliciente de su público desconocimiento. Apareció editado como libro en Buenos Aires y en 1927, pero no se reimprimió hasta compilarse en el volumen X de las Obras Completas *(Madrid, 1958) de Unamuno; y de esa segunda edición, autorizada por el director de la misma, Manuel García Blanco, y por los herederos del autor, tomamos el texto que aquí se reproduce. En ésta su tercera salida se imprime, pues, por primera vez en España y en libro suelto.*

PAULINO GARAGORRI
(1966)

San Manuel Bueno, mártir

> Si sólo en esta vida esperamos en Cristo, somos los más miserables de los hombres todos.
>
> SAN PABLO: 1 Cor., XV, 19.

Ahora que el obispo de la diócesis de Renada, a la que pertenece esta mi querida aldea de Valverde de Lucerna, anda, a lo que se dice, promoviendo el proceso para la beatificación de nuestro don Manuel, o mejor San Manuel Bueno, que fue en ésta párroco, quiero dejar aquí consignado, a modo de confesión y sólo Dios sabe, que no yo, con qué destino, todo lo que sé y recuerdo de aquel varón matriarcal que llenó toda la más entrañada vida de mi alma, que fue mi verdadero padre espiritual, el padre de mi espíritu, del mío, el de Ángela Carballino.

Al otro, a mi padre carnal y temporal, apenas si le conocí, pues se me murió siendo yo muy niña. Sé que había llegado de forastero a nuestra Valverde de Lucerna, que aquí arraigó al casarse aquí con mi madre. Trajo consigo unos cuantos libros, el *Quijote*, obras de teatro clásico, algunas novelas, historias, el *Bertoldo*, todo revuelto, y de estos libros, los únicos casi que había en toda la aldea, devoré yo ensueños siendo niña. Mi buena madre apenas si me contaba hechos o dichos de mi padre. Los de don Manuel, a quien, como todo el pueblo, adoraba, de quien estaba enamorada –claro que castísimamente–, le habían borrado el recuerdo de los de su marido. A quien encomendaba a Dios, y fervorosamente, cada día al rezar el rosario.

De nuestro don Manuel me acuerdo como si fuese de cosa de ayer, siendo yo niña, a mis diez años, antes de que me llevaran al colegio de religiosas de la ciudad catedralicia de Renada. Tendría él, nuestro santo, entonces unos treinta y siete años. Era alto, delgado, erguido, llevaba la cabeza como nuestra Peña del Buitre lleva su cresta, y había en sus ojos toda la hondura azul de nuestro lago. Se llevaba las miradas de todos, y tras ellas los corazones, y él al mirarnos parecía, traspasando la carne como un cristal, mirarnos al corazón. Todos le queríamos, pero sobre todo los niños. ¡Qué cosas nos decía! Eran cosas, no palabras. Empezaba el pueblo a olerle la santidad; se sentía lleno y embriagado de su aroma.

Entonces fue cuando mi hermano Lázaro, que estaba en América, de donde nos mandaba regularmente dinero con que vivíamos en decorosa holgura, hizo que mi madre me mandase al colegio de religiosas, a que se completara fuera de la aldea mi educación, y esto aunque a él, a Lázaro, no le hiciesen mucha gracia las monjas. «Pero como ahí –nos escribía– no hay hasta ahora, que yo sepa, colegios laicos y progresivos, y menos para señoritas, hay que atenerse a lo que haya. Lo importante es que Angelita se pula y que no siga entre esas zafias aldeanas.» Y entré en el colegio pensando en un principio hacerme en él maestra; pero luego se me atragantó la pedagogía.

En el colegio conocí a niñas de la ciudad e intimé con alguna de ellas. Pero seguía atenta a las cosas y a las gentes de nuestra aldea, de la que recibía frecuentes noticias y tal vez alguna visita. Y hasta al colegio llegaba la fama de nuestro párroco, de quien empezaba a hablarse en la ciudad episcopal. Las monjas no hacían sino interrogarme respecto a él.

Desde muy niña alimenté, no sé bien cómo, curiosidades, preocupaciones e inquietudes, debidas, en parte al menos, a aquel revoltijo de libros de mi padre, y todo ello se me medró en el colegio, en el trato, sobre todo, con una compañera que se me aficionó desmedidamente y que unas veces me proponía que entrásemos juntas a la vez en un mismo convento, jurándonos, y hasta firmando el juramento con nuestra sangre, hermandad perpetua, y otras veces me hablaba, con los ojos semicerrados, de novios y de aventuras matrimoniales. Por cierto que no he vuelto a saber de ella ni de su suerte. Y eso que cuando se hablaba de nuestro don Manuel, o cuando mi madre me decía algo de él en sus cartas –y era en casi todas–, que yo leía a mi amiga, ésta exclamaba como en arrobo: «¡Qué suerte, chica, la de poder vivir cerca de un santo así, de un santo vivo, de carne y hueso, y poder besarle la mano! Cuando vuelvas a tu pueblo escríbeme mucho, mucho, y cuéntame de él».

Pasé en el colegio unos cinco años, que ahora se me pierden como un sueño de madrugada en la lejanía del recuerdo, y a los quince volví a mi Valverde de Lucerna. Ya toda ella era don Manuel; don Manuel con el lago y con la montaña. Llegué ansiosa de conocerle, de ponerme bajo su protección, de que él me marcara el sendero de mi vida.

Decíase que había entrado en el seminario para hacerse cura, con el fin de atender a los hijos de una su hermana recién viuda, de servirles de padre; que en el seminario se había distinguido por su agudeza mental y su talento y que había rechazado ofertas de brillante carrera eclesiástica porque él no quería ser sino de su Valverde de Lucerna, de su aldea perdida como un broche entre el lago y la montaña que se mira en él.

¡Y cómo quería a los suyos! Su vida era arreglar matrimonios desavenidos, reducir a sus padres hijos indómitos o reducir los padres a sus hijos, y sobre todo consolar a los amargados y atediados y ayudar a todos a bien morir.

Me acuerdo, entre otras cosas, de que al volver de la ciudad la desgraciada hija de la tía Rabona, que se había perdido y volvió, soltera y desahuciada, trayendo un hijito consigo, don Manuel no paró hasta que hizo que se casase con ella su antiguo novio Perote y reconociese como suya a la criaturita, diciéndole:

–Mira, da padre a este pobre crío que no le tiene más que en el cielo.

–¡Pero, don Manuel, si no es mía la culpa...!

–¡Quién lo sabe, hijo, quién lo sabe...! Y, sobre todo, no se trata de culpa.

Y hoy el pobre Perote, inválido, paralítico, tiene como báculo y consuelo de su vida al hijo aquel que, contagiado de la santidad de don Manuel, reconoció por suyo no siéndolo.

En la noche de San Juan, la más breve del año, solían y suelen acudir a nuestro lago todas las pobres mujerucas, y no pocos hombrecillos, que se creen poseídos, endemoniados, y que parece no son sino histéricos y a las veces epilépticos, y don Manuel emprendió la tarea de hacer él de lago, de piscina probática y tratar de aliviarles y si era posible de curarles. Y era tal la acción de su presencia, de sus miradas, y tal sobre todo la dulcísima autoridad de sus palabras y sobre todo de su voz –¡qué milagro de voz!–, que consiguió curaciones sorprendentes. Con lo que creció su fama, que atraía a nuestro lago y a él a todos los enfermos del contorno. Y alguna vez llegó una madre pidiéndole que hiciese un milagro en su hijo, a lo que contestó sonriendo tristemente:

–No tengo licencia del señor obispo para hacer milagros.

Le preocupaba, sobre todo, que anduviesen todos limpios. Si alguno llevaba un roto en su vestidura, le decía: «Anda a ver al sacristán, y que te remiende eso». El sacristán era sastre. Y cuando el día primero de año iban a felicitarle por ser el de su santo –su santo patrono era el mismo Jesús Nuestro Señor–, quería don Manuel que todos se le presentasen con camisa nueva, y al que no la tenía se la regalaba él mismo.

Por todos mostraba el mismo afecto, y si a algunos distinguía más con él era a los más desgraciados y a los que aparecían como más díscolos. Y como hubiera en el pueblo un pobre idiota de nacimiento, Blasillo el bobo, a éste es a quien más acariciaba y hasta llegó a enseñarle cosas que parecía milagro que las hubiese podido aprender. Y es que el pequeño rescoldo de inteligencia que aún quedaba en el bobo se le encendía en imitar, como un pobre mono, a su don Manuel.

Su maravilla era la voz, una voz divina, que hacía llorar. Cuando al oficiar en misa mayor o solemne entonaba el prefacio, estremecíase la iglesia y todos los que le oían sentíanse conmovidos en sus entrañas. Su canto, saliendo del templo, iba a quedarse dormido sobre el lago y al pie de la montaña. Y cuando en el sermón de Viernes Santo clamaba aquello de: «¡Dios mío, Dios mío!, ¿por qué me has abandonado?», pasaba por el pueblo todo un temblor hondo como por sobre las aguas del lago en días de cierzo de hostigo. Y era como si oyesen a Nuestro Señor Jesucristo mismo, como si la voz brotara de aquel viejo crucifijo a cuyos pies tantas generaciones de madres habían depositado sus congojas. Como que una vez, al oírlo su madre, la de don Manuel, no pudo contenerse, y desde el suelo del templo, en que se sentaba, gritó: «¡Hijo mío!». Y fue un chaparrón de lágrimas entre todos. Creeríase que el grito maternal había brotado de la boca entreabierta de aquella Dolorosa –el corazón traspasado por siete espadas– que había en una de las capillas del templo. Luego Blasillo el tonto iba repitiendo en tono patético por las callejas y como en eco, el «¡Dios mío, Dios mío!, ¿por qué me has abandonado?», y de tal manera que al oírselo se les saltaban a todos las lágrimas, con gran regocijo del bobo por su triunfo imitativo.

Su acción sobre las gentes era tal que nadie se atrevía a mentir ante él, y todos, sin tener que ir al confesonario, se confesaban. A tal punto que como hubiese una vez ocurrido un repugnante crimen en una aldea próxima, el juez, un insensato que conocía mal a don Manuel, le llamó y le dijo:

–A ver si usted, don Manuel, consigue que este bandido declare la verdad.

–¿Para que luego pueda castigársele? –replicó el santo varón–. No, señor juez, no; yo no saco a nadie una verdad que le lleve acaso a la muerte. Allá entre él y Dios... La justicia humana no me concierne. «No juzguéis para no ser juzgados», dijo Nuestro Señor.

–Pero es que yo, señor cura...

–Comprendido; dé usted, señor juez, al César lo que es del César, que yo daré a Dios lo que es de Dios.

Y al salir, mirando fijamente al presunto reo, le dijo:

–Mira bien si Dios te ha perdonado, que es lo único que importa.

En el pueblo todos acudían a misa, aunque sólo fuese por oírle y por verle en el altar, donde parecía transfigurarse, encendiéndosele el rostro. Había un santo ejercicio que introdujo en el culto popular y es que, reuniendo en el templo a todo el pueblo, hombres y mujeres, viejos y niños, unas mil personas, recitábamos al unísono, en una sola voz, el Credo: «Creo en Dios Todopoderoso, Creador del Cielo y de la Tierra...» y lo que sigue. Y no era un coro, sino una sola voz, una voz simple y unida, fundidas todas en una y haciendo como una montaña, cuya cumbre perdida a las veces en nubes, era don Manuel. Y al llegar a lo de «creo en la resurrección de la carne y la vida perdurable» la voz de don Manuel se zambullía, como en un lago, en la del pueblo todo, y era que él se callaba. Y yo oía las campanadas de la villa que se dice aquí que está sumergida en el lecho del lago –campanadas que se dice también se oyen la noche de San Juan– y eran las de la villa sumergida en el lago espiritual de nuestro pueblo; oía la voz de nuestros muertos que en nosotros resucitaban en la comunión de los santos. Después, al llegar a conocer el secreto de nuestro santo, he comprendido que era como si una caravana en marcha por el desierto, desfallecido el caudillo al acercarse al término de su carrera, le tomaran en hombros los suyos para meter su cuerpo sin vida en la tierra de promisión.

Los más no querían morirse sino cogidos de su mano como de un ancla.

Jamás en sus sermones se ponía a declamar contra impíos, masones, liberales o herejes. ¿Para qué, si no los había en la aldea? Ni menos contra la mala prensa. En cambio, uno de los más frecuentes temas de sus sermones era contra la mala lengua. Porque él lo disculpaba todo y a todos disculpaba. No quería creer en la mala intención de nadie:

–La envidia –gustaba repetir– la mantienen los que se empeñan en creerse envidiados, y las más de las persecuciones son efecto más de la manía persecutoria que no de la perseguidora.

–Pero fíjese, don Manuel, en lo que me han querido decir...

Y él:

–No debe importarnos tanto lo que uno quiera decir como lo que diga sin querer...

Su vida era activa y no contemplativa, huyendo cuanto podía de no tener nada que hacer. Cuando oía eso de que la ociosidad es la madre de todos los vicios, contestaba: «Y del peor de todos, que es el pensar ocioso». Y como yo le preguntara una vez qué es lo que con eso quería decir, me contestó: «Pensar ocioso es pensar para no hacer nada o pensar demasiado en lo que se ha hecho y no en lo que hay que hacer. A lo hecho pecho, y a otra cosa, que no hay peor que remordimiento sin enmienda». ¡Hacer!, ¡hacer! Bien comprendí yo ya desde entonces que don Manuel huía de pensar ocioso y a solas, que algún pensamiento le perseguía.

Así es que estaba siempre ocupado, y no pocas veces en inventar ocupaciones. Escribía muy poco para sí, de tal modo que apenas nos ha dejado escritos o notas; mas en cambio hacía de memorialista para los demás, y a las madres, sobre todo, les redactaba las cartas para sus hijos ausentes.

Trabajaba también manualmente, ayudando con sus brazos a ciertas labores del pueblo. En la temporada de trilla íbase a la era a trillar y aventar, y en tanto les aleccionaba o les distraía. Sustituía a las veces a algún enfermo en su tarea. Un día del más crudo invierno se encontró con un niño, muertito de frío, a quien su padre le enviaba a recoger una res a larga distancia, en el monte.

–Mira –le dijo al niño–, vuélvete a casa a calentarte, y dile a tu padre que yo voy a hacer el encargo.

Y al volver con la res se encontró con el padre, todo confuso, que iba a su encuentro. En invierno partía leña para los pobres. Cuando se secó aquel magnífico nogal –«un nogal matriarcal» le llamaba–, a cuya sombra había jugado de niño y con cuyas nueces se había durante tantos años regalado, pidió el tronco, se lo llevó a casa y después de labrar en él seis tablas, que guardaba al pie de su lecho, hizo del resto leña para calentar a los pobres. Solía hacer también las pelotas para que jugaran los mozos y no pocos juguetes para los niños.

Solía acompañar al médico en su visita, y recalcaba las prescripciones de éste. Se interesaba sobre todo en los embarazos y en la crianza de los niños, y estimaba como una de las mayores blasfemias aquello de: «¡teta y gloria!»

y lo otro de: «angelitos al cielo». Le conmovía profundamente la muerte de los niños.

–Un niño que nace muerto o que se muere recién nacido y un suicidio –me dijo una vez– son para mí de los más
terribles misterios: ¡un niño en cruz!

Y como una vez, por haberse quitado uno la vida, le
preguntara el padre del suicida, un forastero, si le daría
tierra sagrada, le contestó:

–Seguramente, pues en el último momento, en el segundo de la agonía, se arrepintió sin duda alguna.

Iba también a menudo a la escuela a ayudar al maestro, a enseñar con él, y no sólo el catecismo. Y es que
huía de la ociosidad y de la soledad. De tal modo, que
por estar con el pueblo, y sobre todo con el mocerío y la
chiquillería, solía ir al baile. Y más de una vez se puso en
él a tocar el tamboril para que los mozos y las mozas
bailasen, y esto, que en otro hubiera parecido grotesca
profanación del sacerdocio, en él tomaba un sagrado
carácter y como de rito religioso. Sonaba el *Angelus*, dejaba el tamboril y el palillo, se descubría y todos con él, y
rezaba: «El ángel del Señor anunció a María: Ave María...». Y luego:

–Y ahora, a descansar para mañana.

–Lo primero –decía– es que el pueblo esté contento, que
estén todos contentos de vivir. El contentamiento de vivir
es lo primero de todo. Nadie debe querer morirse hasta
que Dios quiera.

–Pues yo sí –le dijo una vez una recién viuda–; yo quiero seguir a mi marido...

–¿Y para qué? –le respondió–. Quédate aquí para encomendar su alma a Dios.

En una boda dijo una vez: «¡Ay, si pudiese cambiar el agua toda de nuestro lago en vino, en un vinillo que por mucho que de él se bebiera alegrara siempre sin emborrachar nunca..., o por lo menos con una borrachera alegre!».

Una vez pasó por el pueblo una banda de pobres titiriteros. El jefe de ella, que llegó con la mujer gravemente enferma y embarazada, y con tres hijos que le ayudaban, hacía de payaso. Mientras él estaba, en la plaza del pueblo, haciendo reír a los niños y aun a los grandes, ella, sintiéndose de pronto gravemente indispuesta, se tuvo que retirar y se retiró escoltada por una mirada de congoja del payaso y una risotada de los niños. Y escoltada por don Manuel, que luego, en un rincón de la cuadra de la posada, le ayudó a bien morir. Y cuando, acabada la fiesta, supo el pueblo y supo el payaso la tragedia, fuéronse todos a la posada, y el pobre hombre, diciendo con llanto en la voz: «Bien se dice, señor cura, que es usted todo un santo», se acercó a éste queriendo tomarle la mano para besársela, pero don Manuel se adelantó y tomándosela al payaso pronunció ante todos:

–El santo eres tú, honrado payaso; te vi trabajar y comprendí que no sólo lo haces para dar pan a tus hijos, sino también para dar alegría a los de los otros, y yo te digo que tu mujer, la madre de tus hijos, a quien he despedido a Dios mientras trabajabas y alegrabas, descansa en el Señor, y que tú irás a juntarte con ella y a que te paguen riendo los ángeles a los que haces reír en el cielo de contento.

Y todos, niños y grandes, lloraban y lloraban tanto de pena como de un misterioso contento en que la pena se ahogaba. Y más tarde, recordando aquel solemne rato, he comprendido que la alegría imperturbable de don Manuel era la forma temporal y terrena de una infinita y eterna tristeza que con heroica santidad recataba a los ojos y a los oídos de los demás.

Con aquella su constante actividad, con aquel mezclarse en las tareas y en las diversiones de todos, parecía querer huir de sí mismo, querer huir de su soledad. «Le temo a la soledad», repetía. Mas aun así, de vez en cuando se iba solo, orilla del lago, a las ruinas de aquella vieja abadía donde aún parecen reposar las almas de los piadosos cistercienses a quienes ha sepultado en el olvido la Historia. Allí está la celda del llamado Padre Capitán, y en sus paredes se dice que aún quedan señales de las gotas de sangre con que las salpicó al mortificarse. ¿Qué pensaría allí nuestro don Manuel? Lo que sí recuerdo es que como una vez, hablando de la abadía, le preguntase yo cómo era que no se le había ocurrido ir al claustro, me contestó:

–No es sobre todo porque tenga, como tengo, mi hermana viuda y mis sobrinos a quienes sostener, que Dios ayuda a sus pobres, sino porque yo no nací para ermitaño, para anacoreta; la soledad me mataría el alma, y en cuanto a un monasterio, mi monasterio es Valverde de Lucerna. Yo no debo vivir solo; yo no debo morir solo. Debo vivir para mi pueblo, morir para mi pueblo. ¿Cómo voy a salvar mi alma si no salvo la de mi pueblo?

–Pero es que ha habido santos ermitaños, solitarios... –le dije.

–Sí, a ellos les dio el Señor la gracia de soledad que a mí me ha negado, y tengo que resignarme. Yo no puedo perder a mi pueblo para ganarme el alma. Así me ha hecho Dios. Yo no podría soportar las tentaciones del desierto. Yo no podría llevar solo la cruz del nacimiento.

He querido con estos recuerdos, de los que vive mi fe, retratar a nuestro don Manuel tal como era cuando yo, mocita de cerca de dieciséis años, volví del colegio de religiosas de Renada a nuestro monasterio de Valverde de Lucerna. Y volví a ponerme a los pies de su abad.

–¡Hola, la hija de la Simona –me dijo en cuanto me vio–, y hecha ya toda una moza y sabiendo francés, y bordar y tocar el piano y qué sé yo qué más! Ahora a prepararte para darnos otra familia. Y tu hermano Lázaro, ¿cuándo vuelve? Sigue en el Nuevo Mundo, ¿no es así?

–Sí, señor, sigue en América...

–¡El Nuevo Mundo! Y nosotros en el Viejo. Pues bueno, cuando le escribas, dile de mi parte, de parte del cura, que estoy deseando saber cuándo vuelve del Nuevo Mundo a este Viejo, trayéndonos las novedades de por allá. Y dile que encontrará al lago y a la montaña como les dejó.

Cuando me fui a confesar con él, mi turbación era tanta que no acertaba a articular palabra. Recé el «yo pecadora», balbuciendo, casi sollozando. Y él, que lo observó, me dijo:

–Pero ¿qué te pasa, corderilla? ¿De qué o de quién tienes miedo? Porque tú no tiemblas ahora al peso de tus pecados ni por temor de Dios, no; tú tiemblas de mí, ¿no es eso?

Me eché a llorar.

–Pero ¿qué es lo que te han dicho de mí? ¿Qué leyendas son ésas? ¿Acaso tu madre? Vamos, vamos, cálmate y haz cuenta que estás hablando con tu hermano...

Me animé y empecé a confiarle mis inquietudes, mis dudas, mis tristezas.

–¡Bah, bah, bah! ¿Y dónde has leído eso, marisabidilla? Todo eso es literatura. No te des demasiado a ella, ni siquiera a Santa Teresa. Y si quieres distraerte, lee el *Bertoldo*, que leía tu padre.

Salí de aquella mi primera confesión con el santo hombre profundamente consolada. Y aquel mi temor primero, aquel más que respeto miedo, con que me acerqué a él, trocóse en una lástima profunda. Era yo entonces una mocita, una niña casi; pero empezaba a ser mujer, sentía en mis entrañas el jugo de la maternidad, y al encontrarme en el confesonario junto al santo varón, sentí como una callada confesión suya en el susurro sumiso de su voz y recordé cómo cuando, al clamar él en la iglesia las palabras de Jesucristo: «¡Dios mío, Dios mío!, ¿por qué me has abandonado?», su madre, la de don Manuel, respondió desde el suelo: «¡Hijo mío!», y oí ese grito que desgarraba la quietud del templo. Y volví a confesarme con él para consolarle.

Una vez que en el confesonario le expuse una de aquellas dudas, me contestó:

–A eso, ya sabes, lo del Catecismo: «Eso no me lo preguntéis a mí, que soy ignorante; doctores tiene la Santa Madre Iglesia que os sabrán responder».

–¡Pero si el doctor aquí es usted, don Manuel!...

–¿Yo, yo doctor? ¿Doctor yo? ¡Ni por pienso! Yo, doctorcilla, no soy más que un pobre cura de aldea. Y esas preguntas, ¿sabes quién te las insinúa, quién te las dirige? Pues... ¡el Demonio!

Y entonces, envalentonándome, le espeté a boca de jarro:

–¿Y si se las dirigiese a usted, don Manuel?

–¿A quién?, ¿a mí? ¿Y el Demonio? No nos conocemos, hija, no nos conocemos.

–¿Y si se las dirigiera?

–No le haría caso. Y basta, ¿eh?, despachemos, que me están esperando unos enfermos de verdad.

Me retiré, pensando, no sé por qué, que nuestro don Manuel, tan afamado curandero de endemoniadas, no creía en el Demonio. Y al irme hacia mi casa topé con Blasillo el bobo, que acaso rondaba el templo, y que al verme, para agasajarme con sus habilidades, repitió –¡y de qué modo!– lo de «¡Dios mío, Dios mío!, ¿por qué me has abandonado?». Llegué a casa acongojadísima y me encerré en mi cuarto para llorar, hasta que llegó mi madre.

–Me parece, Angelita, con tantas confesiones, que tú te me vas a ir monja.

–No lo tema, madre –le contesté–, pues tengo harto que hacer aquí, en el pueblo, que es mi convento.

–Hasta que te cases.

–No pienso en ello –le repliqué.

Y otra vez que me encontré con don Manuel, le pregunté, mirándole derechamente a los ojos:

–¿Es que hay Infierno, don Manuel?

–¿Para ti, hija? No.

–¿Y para los otros, le hay?

–¿Y a ti qué te importa, si no has de ir a él?

–Me importa por los otros. ¿Le hay?

–Cree en el cielo, en el cielo que vemos. Míralo –y me lo mostraba sobre la montaña y abajo, reflejado en el lago.

–Pero hay que creer en el Infierno, como en el Cielo –repliqué.

–Sí, hay que creer todo lo que cree y enseña a creer la Santa Madre Iglesia Católica, Apostólica, Romana. ¡Y basta!

Leí no sé qué honda tristeza en sus ojos, azules como las aguas del lago.

Aquellos años pasaron como un sueño. La imagen de don Manuel iba creciendo en mí sin que yo de ello me diese cuenta, pues era un varón tan cotidiano, tan de cada día como el pan que a diario pedimos en el padrenuestro. Yo le ayudaba cuanto podía en sus menesteres, visitaba a sus enfermos, a nuestros enfermos, a las niñas de la escuela, arreglaba el ropero de la iglesia, le hacía, como me llamaba él, de diaconisa. Fui unos días, invitada por una compañera de colegio, a la ciudad, y tuve que volverme, pues en la ciudad me ahogaba, me faltaba algo, sentía sed de la vista de las aguas del lago, hambre de la vista de las peñas de la montaña; sentía, sobre todo, la falta de mi don Manuel y como si su ausencia me llamara, como si corriese un peligro lejos de mí, como si me necesitara. Empezaba yo a sentir una especie de afecto maternal hacia mi padre espiritual; quería aliviarle del peso de su cruz del nacimiento.

Así fui llegando a mis veinticuatro años, que es cuando volvió de América, con un caudalillo ahorrado, mi hermano Lázaro. Llegó acá, a Valverde de Lucerna, con el propósito de llevarnos a mí y a nuestra madre a vivir a la ciudad, acaso a Madrid.

–En la aldea –decía– se entontece, se embrutece y se empobrece uno.

Y añadía:

–Civilización es lo contrario de ruralización; ¡aldeanerías, no!, que no hice que fueras al colegio para que te pudras luego aquí, entre estos zafios patanes.

Yo callaba, aun dispuesta a resistir la emigración; pero nuestra madre, que pasaba ya de la sesentena, se opuso desde un principio: «¡A mi edad, cambiar de aguas!», dijo primero; mas luego dio a conocer claramente que ella no podría vivir fuera de la vista de su lago, de su montaña, y sobre todo de su don Manuel.

–¡Sois como las gatas, que os apegáis a la casa! –repetía mi hermano.

Cuando se percató de todo el imperio que sobre el pueblo todo y en especial sobre nosotras, sobre mi madre y sobre mí, ejercía el santo varón evangélico, se irritó contra éste. Le pareció un ejemplo de la oscura teocracia en que él suponía hundida a España. Y empezó a barbotar sin descanso todos los viejos lugares comunes anticlericales y hasta antirreligiosos y progresistas que había traído renovados del Nuevo Mundo.

–En esta España de calzonazos –decía–, los curas manejan a las mujeres y las mujeres a los hombres... ¡y luego el campo!, ¡el campo!, este campo feudal...

Para él, feudal era un término pavoroso; feudal y medieval eran los dos calificativos que prodigaba cuando quería condenar algo.

Le desconcertaba el ningún efecto que sobre nosotras hacían sus diatribas y el casi ningún efecto que hacían en el pueblo, donde se le oía con respetuosa indiferencia. «A estos patanes no hay quien los conmueva.» Pero como era bueno por ser inteligente, pronto se dio cuenta de la clase de imperio que don Manuel ejercía sobre el pueblo, pronto se enteró de la obra del cura de su aldea.

–¡No, no es como los otros –decía–, es un santo!

–¿Pero tú sabes cómo son los otros curas? –le decía yo, y él:

–Me lo figuro.

Mas aun así ni entraba en la iglesia ni dejaba de hacer alarde en todas partes de su incredulidad, aunque procurando siempre dejar a salvo a don Manuel. Y ya en el pueblo se fue formando, no sé cómo, una expectativa, la de una especie de duelo entre mi hermano Lázaro y don Manuel, o más bien se esperaba la conversión de aquél por éste. Nadie dudaba de que al cabo el párroco le llevaría a su parroquia. Lázaro, por su parte, ardía en deseos –me lo dijo luego– de ir a oír a don Manuel, de verle y oírle en la iglesia, de acercarse a él y con él conversar, de conocer el secreto de aquel su imperio espiritual sobre las almas. Y se hacía de rogar para ello, hasta que al fin, por curiosidad –decía–, fue a oírle.

–Sí, esto es otra cosa –me dijo luego de haberle oído–, no es como los otros, pero a mí no me la da; es demasiado inteligente para creer todo lo que tiene que enseñar.

–¿Pero es que le crees un hipócrita? –le dije.

–¡Hipócrita..., no!, pero es el oficio del que tiene que vivir.

En cuanto a mí, mi hermano se empeñaba en que yo leyese de libros que él trajo y de otros que me incitaba a comprar.

–¿Conque tu hermano Lázaro –me decía don Manuel– se empeña en que leas? Pues lee, hija mía, lee y dale así gusto. Sé que no has de leer sino cosa buena; lee aunque sean novelas. No son mejores las historias que llaman verdaderas. Vale más que leas que no el que te alimentes de chismes y comadrerías del pueblo. Pero lee sobre todo libros de piedad que te den contento de vivir, un contento apacible y silencioso.

¿Le tenía él?

Por entonces enfermó de muerte y se nos murió nuestra madre, y en sus últimos días todo su hipo era que don Manuel convirtiese a Lázaro, a quien esperaba volver a ver un día en el cielo, en un rincón de las estrellas desde donde se viese el lago y la montaña de Valverde de Lucerna. Ella se iba ya, a ver a Dios.

–Usted no se va –le decía don Manuel–, usted se queda. Su cuerpo aquí, en esta tierra, y su alma también aquí, en esta casa, viendo y oyendo a sus hijos, aunque éstos ni le vean ni le oigan.

–Pero yo, padre –dijo–, voy a ver a Dios.

–Dios, hija mía, está aquí como en todas partes, y le verá usted desde aquí, desde aquí. Y a todos nosotros en Él, y a Él en nosotros.

–Dios se lo pague –le dije.

–El contento con que tu madre se muera –me dijo– será su eterna vida.

Y volviéndose a mi hermano Lázaro:

–Su cielo es seguir viéndote, y ahora es cuando hay que salvarla. Dile que rezarás por ella.

–Pero...

–¿Pero...? Dile que rezarás por ella, a quien debes la

vida, y sé que una vez que se lo prometas rezarás, y sé que luego que reces...

Mi hermano, acercándose, arrasados sus ojos en lágrimas, a nuestra madre agonizante, le prometió solemnemente rezar por ella.

–Y yo en el cielo por ti, por vosotros –respondió mi madre, y besando el crucifijo, y puestos sus ojos en los de don Manuel, entregó su alma a Dios.

–«¡En tus manos encomiendo mi espíritu» –rezó el santo varón.

Quedamos mi hermano y yo solos en la casa. Lo que pasó en la muerte de nuestra madre puso a Lázaro en relación con don Manuel, que pareció descuidar algo a sus demás pacientes, a sus demás menesterosos, para atender a mi hermano. Íbanse por las tardes de paseo, orilla del lago, o hacia las ruinas, vestidas de hiedra, de la vieja abadía de cistercienses.

–Es un hombre maravilloso –me decía Lázaro–. Ya sabes que dicen que en el fondo de este lago hay una villa sumergida y que en la noche de San Juan, a las doce, se oyen las campanadas de su iglesia.

–Sí –le contestaba yo–, una villa feudal y medieval...

–Y creo –añadía él– que en el fondo del alma de nuestro don Manuel hay también sumergida, ahogada, una villa y que alguna vez se oyen sus campanadas.

–Sí –le dije–, esa villa sumergida en el alma de don Manuel, ¿y por qué no también en la tuya?, es el cementerio de las almas de nuestros abuelos, los de esta nuestra Valverde de Lucerna... ¡feudal, medieval!

Acabó mi hermano por ir a misa siempre, a oír a don Manuel, y cuando se dijo que cumpliría con la parroquia, que comulgaría cuando los demás comulgasen, recorrió un íntimo regocijo al pueblo todo, que creyó haberle recobrado. Pero fue un regocijo tal, tan limpio, que Lázaro no se sintió vencido ni disminuido.

Y llegó el día de su comunión, ante el pueblo todo, con el pueblo todo. Cuando llegó la vez a mi hermano pude ver que don Manuel, tan blanco como la nieve de enero en la montaña y temblando como tiembla el lago cuando le hostiga el cierzo, se le acercó con la sagrada forma en la mano, y de tal modo le temblaba ésta al arrimarla a la boca de Lázaro, que se le cayó la forma a tiempo que le daba un vahído. Y fue mi hermano mismo quien recogió la hostia y se la llevó a la boca. Y el pueblo, al ver llorar a don Manuel, lloró diciéndose: «¡Cómo le quiere!». Y entonces, pues era la madrugada, cantó un gallo.

Al volver a casa y encerrarme en ella con mi hermano, le eché los brazos al cuello y besándole le dije:

–Ay, Lázaro, Lázaro, qué alegría nos has dado a todos, a todos, a todo el pueblo, a todos, a los vivos y a los muertos, y sobre todo a mamá, a nuestra madre. ¿Viste? El pobre don Manuel lloraba de alegría. ¡Qué alegría nos has dado a todos!

–Por eso lo he hecho –me contestó.

–¿Por eso? ¿Por darnos alegría? Lo habrás hecho ante todo por ti mismo, por conversión.

Y entonces Lázaro, mi hermano, tan pálido y tan tembloroso como don Manuel cuando le dio la comunión, me hizo sentarme, en el sillón mismo donde solía sentarse nuestra madre, tomó huelgo, y luego, como en íntima confesión doméstica y familiar, me dijo:

–Mira, Angelita, ha llegado la hora de decirte la verdad, toda la verdad, y te la voy a decir, porque debo decírtela, porque a ti no puedo, no debo callártela y porque además habrías de adivinarla, y a medias, que es lo peor, más tarde o más temprano.

Y entonces, serena y tranquilamente, a media voz, me contó una historia que me sumergió en un lago de tristeza. Cómo don Manuel había venido trabajando, sobre todo en aquellos paseos a las ruinas de la vieja abadía cisterciense, para que no escandalizase, para que diese buen ejemplo, para que se incorporase a la vida religiosa del pueblo, para que fingiese creer si no creía, para que ocultase sus ideas al respecto, mas sin intentar siquiera catequizarle, convertirle de otra manera.

–¿Pero es eso posible? –exclamé consternada.

–¡Y tan posible, hermana, y tan posible! Y cuando yo le decía: «¿Pero es usted, usted, el sacerdote, el que me aconseja que finja?», él, balbuciente: «¿Fingir? ¡Fingir no!, ¡eso no es fingir! Toma agua bendita que dijo alguien, y acabarás creyendo». Y como yo, mirándole a los ojos, le dijese: «¿Y usted celebrando misa ha acabado por creer?», él bajó la mirada al lago y se le llenaron los ojos de lágrimas. Y así es como le arranqué su secreto.

–¡Lázaro! –gemí.

Y en aquel momento pasó por la calle Blasillo el bobo, clamando su: «¡Dios mío, Dios mío!, ¿por qué me has abandonado?». Y Lázaro se estremeció creyendo oír la voz de don Manuel, acaso la de Nuestro Señor Jesucristo.

–Entonces –prosiguió mi hermano– comprendí sus móviles y con esto comprendí su santidad; porque es un santo, hermana, todo un santo. No trataba, al emprender ganarme para su santa causa –porque es una causa santa, santísima–, arrogarse un triunfo, sino que lo hacía por la paz, por la felicidad, por la ilusión si quieres, de los que le están encomendados; comprendí que si les engaña así –si es que esto es engaño– no es por medrar. Me rendí a sus razones, y he aquí mi conversión. Y no me olvidaré jamás del día en que diciéndole yo: «Pero, don Manuel, la verdad, la verdad ante todo», él, temblando, me susurró al oído –y eso que estábamos solos en medio del campo–: «¿La verdad? La verdad, Lázaro, es acaso algo terrible, algo intolerable, algo mortal; la gente sencilla no podría vivir con ella». «¿Y por qué me la deja entrever ahora aquí, como en confesión?», le dije. Y él: «Porque si no, me atormentaría tanto, tanto, que acabaría gritándola en medio de la plaza, y eso jamás, jamás, jamás. Yo estoy para hacer vivir a las almas de mis feligreses, para hacerlos felices, para hacerles que se sueñen inmortales y no para matarles. Lo que aquí hace falta es que vivan sanamente, que vivan en unanimidad de sentido, y con la verdad, con mi verdad, no vivirían. Que vivan. Y esto hace la Iglesia, hacerles vivir. ¿Religión verdadera? Todas las religiones son verdaderas en cuanto hacen vivir espiritualmente a los pueblos que las profesan, en cuanto les consuelan de haber tenido que nacer para morir, y para cada pueblo la religión más verdadera es la suya, la que le ha hecho. ¿Y la mía? La mía es consolarme en consolar a los demás, aunque el consuelo que les doy no sea el mío». Jamás olvidaré estas sus palabras.

–¡Pero esa comunión tuya ha sido un sacrilegio! –me atreví a insinuar, arrepintiéndome al punto de haberlo insinuado.

–¿Sacrilegio? ¿Y él, que me la dio? ¿Y sus misas?

–¡Qué martirio! –exclamé.

–Y ahora –añadió mi hermano– hay otro más para consolar al pueblo.

–¿Para engañarle? –dije.

–Para engañarle no –me replicó–, sino para corroborarle en su fe.

–Y él, el pueblo –dije–, ¿cree de veras?

–¡Qué sé yo...! Cree sin querer, por hábito, por tradición. Y lo que hace falta es no despertarle. Y que viva en su pobreza de sentimientos para que no adquiera torturas de lujo. ¡Bienaventurados los pobres de espíritu!

–Eso, hermano, lo has aprendido de don Manuel. Y ahora, dime, ¿has cumplido aquello que le prometiste a nuestra madre cuando ella se nos iba a morir, aquello de que rezarías por ella?

–¡Pues no se lo había de cumplir! Pero ¿por quién me has tomado, hermana? ¿Me crees capaz de faltar a mi palabra, a una promesa solemne, y a una promesa hecha, y en el lecho de muerte, a una madre?

–¡Qué sé yo...! Pudiste querer engañarla para que muriese consolada.

–Es que si yo no hubiese cumplido la promesa viviría sin consuelo.

–¿Entonces?

–Cumplí la promesa y no he dejado de rezar ni un solo día por ella.

–¿Sólo por ella?

–Pues ¿por quién más?

–¡Por ti mismo! Y de ahora en adelante, por don Manuel.

Nos separamos para irnos cada uno a su cuarto, yo a llorar toda la noche, a pedir por la conversión de mi hermano y de don Manuel, y él, Lázaro, no sé bien a qué.

Después de aquel día temblaba yo de encontrarme a solas con don Manuel, a quien seguía asistiendo en sus piadosos menesteres. Y él pareció percatarse de mi estado íntimo y adivinar su causa. Y cuando al fin me acerqué a él en el tribunal de la penitencia –¿quién era el juez y quién el reo?–, los dos, él y yo, doblamos en silencio la cabeza y nos pusimos a llorar. Y fue él, don Manuel, quien rompió el tremendo silencio para decirme con voz que parecía salir de una huesa:

–Pero tú, Angelina, tú crees como a los diez años, ¿no es así? ¿Tú crees?

–Sí creo, padre.

–Pues sigue creyendo. Y si se te ocurren dudas, cállatelas a ti misma. Hay que vivir...

Me atreví, y toda temblorosa le dije:

–Pero usted, padre, ¿cree usted?

Vaciló un momento y, reponiéndose, me dijo:

–¡Creo!

–¿Pero en qué, padre, en qué? ¿Cree usted en la otra vida?, ¿cree usted que al morir no nos morimos del todo?, ¿cree que volveremos a vernos, a querernos en otro mundo venidero?, ¿cree en la otra vida?

El pobre santo sollozaba.

–¡Mira hija, dejemos eso!

Y ahora, al escribir esta memoria, me digo: ¿Por qué no me engañó?, ¿por qué no me engañó entonces como engañaba a los demás? ¿Por qué se acongojó? ¿Porque no podía engañarse a sí mismo, o porque no podía engañarme? Y quiero creer que se acongojaba porque no podía engañarse para engañarme.

–Y ahora –añadió–, reza por mí, por tu hermano, por ti misma, por todos. Hay que vivir. Y hay que dar vida.

Y después de una pausa:

–¿Y por qué no te casas, Angelina?

–Ya sabe usted, padre mío, por qué.

–Pero no, no; tienes que casarte. Entre Lázaro y yo te buscaremos un novio. Porque a ti te conviene casarte para que se te curen esas preocupaciones.

–¿Preocupaciones, don Manuel?

–Yo sé bien lo que me digo. Y no te acongojes demasiado por los demás, que harto tiene cada cual con tener que responder de sí mismo.

–¡Y que sea usted, don Manuel, el que me diga eso! ¡Que sea usted el que aconseje que me case para responder de mí y no acuitarme por los demás!, ¡que sea usted!

–Tienes razón, Angelina, no sé ya lo que me digo; no sé ya lo que me digo desde que estoy confesándome contigo. Y sí, sí, hay que vivir, hay que vivir.

Y cuando yo iba a levantarme para salir del templo, me dijo:

–Y ahora, Angelina, en nombre del pueblo, ¿me absuelves?

Me sentí como penetrada de un misterioso sacerdocio y dije:

–En nombre de Dios Padre, Hijo y Espíritu Santo, le absuelvo, padre.

Y salimos de la iglesia, y al salir se me estremecían las entrañas maternales.

Mi hermano, puesto ya del todo al servicio de la obra de don Manuel, era su más asiduo colaborador y compañero. Los anudaba, además, el común secreto. Le acompañaba en sus visitas a los enfermos, a las escuelas, y ponía su dinero a disposición del santo varón. Y poco faltó para que no aprendiera a ayudarle a misa. E iba entrando cada vez más en el alma insondable de don Manuel.

–¡Qué hombre! –me decía–. Mira ayer, paseando a orillas del lago, me dijo: «He ahí mi tentación mayor». Y como yo le interrogase con la mirada, añadió: «Mi pobre padre, que murió de cerca de noventa años, se pasó la vida, según me lo confesó él mismo, torturado por la tentación del suicidio, que le venía no recordaba desde cuándo, *de nación,* decía, y defendiéndose de ella. Y esa defensa fue su vida. Para no sucumbir a tal tentación extremaba los cuidados por conservar la vida. Me contó escenas terribles. Me parecía como una locura. Y yo la he heredado. ¡Y cómo me llama esa agua que con su aparente quietud –la corriente va por dentro– espeja al cielo! ¡Mi vida, Lázaro, es una especie de suicidio continuo, un combate contra el suicidio, que es igual; pero que vivan ellos, que vivan los nuestros!». Y luego añadió: «Aquí se remansa el río en lago, para luego, bajando a la meseta, precipitarse en cascadas, saltos y torrenteras por las hoces y encañadas, junto a la ciudad, y así se remansa la vida, aquí, en la aldea. Pero la tentación del suicidio es mayor aquí, junto al remanso que espeja de noche las estrellas, que no junto a las cascadas que dan miedo. Mira, Lázaro, he asistido a bien morir a pobres aldeanos, ignorantes, analfabetos que apenas si habían salido de la aldea, y he podido saber de sus labios, y cuando no adivinarlo, la verdadera causa de su enfermedad de muerte, y he podido mirar, allí, a la cabecera de su lecho de muerte, toda la negrura de la sima del tedio de vivir. ¡Mil veces peor que el hambre! Sigamos, pues, Lázaro, suicidándonos en nuestra obra y en nuestro pueblo, y que sueñe éste su vida como el lago sueña el cielo».

–Otra vez –me decía también mi hermano–, cuando volvíamos acá, vimos a una zagala, una cabrera, que enhiesta sobre un picacho de la falda de la montaña, a la vista del lago, estaba cantando con una voz más fresca que las aguas de éste. Don Manuel me detuvo y señalándomela dijo: «Mira, parece como si se hubiera acabado el tiempo, como si esa zagala hubiese estado ahí siempre, y como está, y cantando como está, y como si hubiera de seguir estando así siempre, como estuvo cuando empezó mi conciencia, como estará cuando se me acabe. Esa zagala forma parte, con las rocas, las nubes, los árboles, las aguas, de la naturaleza y no de la historia». ¡Cómo siente, cómo anima don Manuel a la naturaleza! Nunca olvidaré el día de la nevada en que me dijo: «¿Has visto, Lázaro, misterio mayor que el de la nieve cayendo en el lago y muriendo en él mientras cubre con su toca a la montaña?».

Don Manuel tenía que contener a mi hermano en su celo y en su inexperiencia de neófito. Y como supiese que éste andaba predicando contra ciertas supersticiones populares, hubo de decirle:

–¡Déjalos! ¡Es tan difícil hacerles comprender dónde acaba la creencia ortodoxa y dónde empieza la superstición! Y más para nosotros. Déjalos, pues, mientras se consuelen. Vale más que lo crean todo, aun cosas contradictorias entre sí, a no que no crean nada. Eso de que el que cree demasiado acaba por no creer nada es cosa de protestantes. No protestemos. La protesta mata el contento.

Una noche de plenilunio –me contaba también mi hermano– volvían a la aldea por la orilla del lago, a cuya sobrehaz rizaba entonces la brisa montañosa y en rizo cabrilleaban las razas de la luna llena, y don Manuel le dijo a Lázaro.

–¡Mira, el agua está rezando la letanía y ahora dice: *Ianua caeli, ora pro nobis,* puerta del cielo, ruega por nosotros!

Y cayeron temblando de sus pestañas a la yerba del suelo dos huideras lágrimas en que también, como en rocío, se bañó temblorosa la lumbre de la luna llena.

E iba corriendo el tiempo y observábamos mi hermano y yo que las fuerzas de don Manuel empezaban a decaer, que ya no lograba contener del todo la insondable tristeza que le consumía, que acaso una enfermedad traidora le iba minando el cuerpo y el alma. Y Lázaro, acaso para distraerle más, le propuso si no estaría bien que fundasen en la iglesia algo así como un sindicato católico agrario.

–¿Sindicato? –respondió tristemente don Manuel–. ¿Sindicato? ¿Y qué es eso? Yo no conozco más sindicato que la Iglesia, y ya sabes aquello de «mi reino no es de este mundo». Nuestro reino, Lázaro, no es de este mundo...

–¿Y del otro?

Don Manuel bajó la cabeza:

–El otro, Lázaro, está aquí también, porque hay dos reinos en este mundo. O mejor, el otro mundo..., vamos, que no sé lo que me digo. Y en cuanto a eso del sindicato, es en ti un resabio de tu época de progresismo. No, Lázaro, no; la religión no es para resolver los conflictos económicos o políticos de este mundo que Dios entregó a las disputas de los hombres. Piensen los hombres y obren los hombres como pensaren y como obraren, que se consuelen de haber nacido, que vivan lo más contentos que puedan en la ilusión de que todo esto tiene una finalidad. Yo no he venido a someter los pobres a los ricos, ni a predicar a éstos que se sometan a aquéllos. Resignación y caridad en todos y para todos. Porque también el rico tiene que resignarse a su riqueza, y a la vida, y también el pobre tiene que tener caridad para con el rico. ¿Cuestión social? Deja eso, eso no nos concierne. Que traen una nueva sociedad, en que no haya ya ricos ni pobres, en que esté justamente repartida la riqueza, en que todo sea de todos, ¿y qué? ¿Y no crees que del bienestar general surgirá más fuerte el tedio de la vida? Sí, ya sé que uno de esos caudillos de la que llaman la revolución social ha dicho que la religión es el opio del pueblo. Opio..., opio... Opio, sí. Démosle opio, y que duerma y que sueñe. Yo mismo con esta mi loca actividad me estoy administrando opio. Y no logro dormir bien, y menos soñar bien... ¡Esta terrible pesadilla! Y yo también puedo decir con el Divino Maestro: «Mi alma está triste hasta la muerte». No, Lázaro, no; nada de sindicatos por nuestra parte. Si lo forman ellos, me parecerá bien, pues que así se distraen. Que jueguen al sindicato, si eso les contenta.

El pueblo todo observó que a don Manuel le menguaban las fuerzas, que se fatigaba. Su voz misma, aquella voz que era un milagro, adquirió un cierto temblor íntimo. Se le asomaban las lágrimas con cualquier motivo. Y sobre todo cuando hablaba al pueblo del otro mundo, de la otra vida, tenía que detenerse a ratos cerrando los ojos.

«Es que lo está viendo», decían. Y en aquellos momentos era Blasillo el bobo el que con más cuajo lloraba. Porque ya Blasillo lloraba más que reía, y hasta sus risas sonaban a lloros.

Al llegar la última Semana de Pasión que con nosotros, en nuestro mundo, en nuestra aldea, celebró don Manuel, el pueblo todo presintió el fin de la tragedia. ¡Y cómo sonó entonces aquel «¡Dios mío, Dios mío!, ¿por qué me has abandonado?», ¡el último que en público sollozó don Manuel! Y cuando dijo lo del Divino Maestro al buen bandolero –«todos los bandoleros son buenos», solía decir nuestro don Manuel–, aquello de: «Mañana estarás conmigo en el paraíso». ¡Y la última comunión general que repartió nuestro santo! Cuando llegó a dársela a mi hermano, esta vez con mano segura, después del litúrgico ... *in vitam aeternam,* se le inclinó al oído y le dijo: «No hay más vida eterna que ésta..., que la sueñen eterna..., eterna de unos pocos años...». Y cuando me la dio a mí me dijo: «Reza, hija mía, reza por nosotros». Y luego, algo tan extraordinario que lo llevo en el corazón como el más grande misterio, y fue que me dijo con voz que parecía de otro mundo: «... y reza también por Nuestro Señor Jesucristo...».

Me levanté sin fuerzas y como sonámbula. Y todo en torno me pareció un sueño. Y pensé: «Habré de rezar también por el lago y por la montaña». Y luego: «¿Es que estaré endemoniada?». Y en casa ya, cogí el crucifijo con el cual en las manos había entregado a Dios su alma mi madre, y mirándolo a través de mis lágrimas y recordando el «¡Dios mío, Dios mío!, ¿por qué me has abandonado?» de nuestros dos Cristos, el de esta Tierra y el de esta aldea, recé: «Hágase tu voluntad así en la tierra como en el cielo», primero, y después: «Y no nos dejes caer en la tentación, amén». Luego me volví a aquella imagen de la Dolorosa, con su corazón traspasado por siete espadas, que había sido el más doloroso consuelo de mi pobre madre, y recé: «Santa María, madre de Dios, ruega por nosotros, pecadores, ahora y en la hora de nuestra muerte, amén». Y apenas lo había rezado cuando me dije: «¿Pecadores?, ¿nosotros pecadores?, ¿y cuál es nuestro pecado, cuál?». Y anduve todo el día acongojada por esta pregunta.

Al día siguiente acudí a don Manuel, que iba adquiriendo una solemnidad de religioso ocaso, y le dije:

–¿Recuerda, padre mío, cuando hace ya años, al dirigirle yo una pregunta me contestó: «Eso no me lo preguntéis a mí, que soy ignorante; doctores tiene la Santa Madre Iglesia que os sabrán responder?».

–¡Que si me acuerdo!... Y me acuerdo de que te dije que ésas eran preguntas que te dictaba el Demonio.

–Pues bien, padre, hoy vuelvo yo, la endemoniada, a dirigirle otra pregunta que me dicta mi demonio de la guarda.

–Pregunta.

–Ayer, al darme de comulgar, me pidió que rezara por todos nosotros y hasta por...

–Bien, cállalo y sigue.

–Llegué a casa y me puse a rezar, y al llegar a aquello de «ruega por nosotros, pecadores, ahora y en la hora de nuestra muerte», una voz íntima me dijo: «¿Pecadores?, ¿pecadores nosotros?, ¿y cuál es nuestro pecado?». ¿Cuál es nuestro pecado, padre?

–¿Cuál? –me respondió–. Ya lo dijo un gran doctor de la Iglesia Católica Apostólica Española, ya lo dijo el gran doctor de *La vida es sueño*, ya dijo que «el delito mayor del hombre es haber nacido». Ése es, hija, nuestro pecado: el de haber nacido.

–¿Y se cura, padre?

–¡Vete y vuelve a rezar! Vuelve a rezar por nosotros, pecadores, ahora y en la hora de nuestra muerte... Sí, al fin se cura el sueño..., y al fin se cura la vida..., al fin se acaba la cruz del nacimiento... Y como dijo Calderón, el hacer bien, y el engañar bien, ni aun en sueños se pierde...

Y la hora de su muerte llegó por fin. Todo el pueblo la veía llegar. Y fue su más grande lección. No quiso morirse ni solo ni ocioso. Se murió predicando al pueblo, en el templo. Primero, antes de mandar que le llevasen a él, pues no podía ya moverse por la perlesía, nos llamó a su casa a Lázaro y a mí. Y allí los tres a solas, nos dijo:

–Oíd: cuidad de estas pobres ovejas, que se consuelen de vivir, que crean lo que yo no he podido creer. Y tú, Lázaro, cuando hayas de morir, muere como yo, como morirá nuestra Ángela, en el seno de la Santa Madre Católica Apostólica Romana, de la Santa Madre Iglesia de Valverde de Lucerna, bien entendido. Y hasta nunca más ver, pues se acaba este sueño de la vida...

–¡Padre, padre! –gemí yo.

–No te aflijas, Ángela, y sigue rezando por todos los pecadores, por todos los nacidos. Y que sueñen, que sueñen. ¡Qué ganas tengo de dormir, dormir, dormir sin fin, dormir por toda una eternidad sin soñar!, ¡olvidando el sueño! Cuando me entierren, que sea en una caja hecha con aquellas seis tablas que tallé del viejo nogal, ¡pobrecito!, a cuya sombra jugué de niño, cuando empezaba a soñar... ¡Y entonces sí que creía en la vida perdurable! Es decir, me figuro ahora que creía entonces. Para un niño creer no es más que soñar. Y para un pueblo. Esas seis tablas que tallé con mis propias manos, las encontraréis al pie de mi cama.

Le dio un ahogo y, repuesto de él, prosiguió:

–Recordaréis que cuando rezábamos todos en uno, en unanimidad de sentido, hechos pueblo, el Credo, al llegar al final yo me callaba. Cuando los israelitas iban llegando al fin de su peregrinación por el desierto, el Señor les dijo a Aarón y a Moisés que por no haberle creído no meterían a su pueblo en la tierra prometida, y les hizo subir al monte de Hor, donde Moisés hizo desnudar a Aarón, que allí murió, y luego subió Moisés desde las llanuras de Moab al monte Nebo, a la cumbre del Fasga, enfrente de Jericó, y el Señor le mostró toda la tierra prometida a su pueblo, pero diciéndole a él: «¡No pasarás allá!» y allí murió Moisés y nadie supo su sepultura. Y dejó por caudillo a Josué. Sé tú, Lázaro, mi Josué, y si puedes detener al sol deténle y no te importe del progreso. Como Moisés, he conocido al Señor, nuestro supremo ensueño, cara a cara, y ya sabes que dice la Escritura que el que le ve la cara a Dios, que el que le ve al sueño los ojos de la cara con que nos mira, se muere sin remedio y para siempre. Que no le vea, pues, la cara a Dios este nuestro pueblo mientras viva, que después de muerto ya no hay cuidado, pues no verá nada...

–¡Padre, padre, padre! –volví a gemir. Y él:

–Tú, Ángela, reza siempre, sigue rezando para que los pecadores todos sueñen hasta morir la resurrección de la carne y la vida perdurable...

Yo esperaba un «¿y quién sabe...?», cuando le dio otro ahogo a don Manuel.

–Y ahora –añadió–, ahora, en la hora de mi muerte, es hora de que hagáis que se me lleve, en este mismo sillón, a la iglesia, para despedirme allí de mi pueblo que me espera.

Se le llevó a la iglesia y se le puso, en el sillón, en el pres-
biterio, al pie del altar. Tenía entre sus manos un crucifijo.
Mi hermano y yo nos pusimos junto a él, pero fue Blasillo
el bobo quien más se arrimó. Quería coger de la mano a
don Manuel, besársela. Y como algunos trataran de im-
pedírselo, don Manuel les reprendió, diciéndoles:

–Dejadle que se me acerque. Ven, Blasillo, dame la
mano.

El bobo lloraba de alegría. Y luego don Manuel dijo:

–Muy pocas palabras, hijos míos, pues apenas me
siento con fuerzas sino para morir. Y nada nuevo tengo
que deciros. Ya os lo dije todo. Vivid en paz y contentos y
esperando que todos nos veamos un día, en la Valverde
de Lucerna que hay allí, entre las estrellas de la noche que
se reflejan en el lago, sobre la montaña. Y rezad, rezad a
María Santísima, rezad a Nuestro Señor. Sed buenos, que
esto basta. Perdonadme el mal que haya podido haceros
sin quererlo y sin saberlo. Y ahora, después que os dé mi
bendición, rezad todos a una el Padrenuestro, el Ave María, la Salve y por último el Credo.

Luego, con el crucifijo que tenía en la mano dio la bendición al pueblo, llorando las mujeres y los niños y no pocos hombres, y en seguida empezaron las oraciones, que
don Manuel oía en silencio y cogido de la mano por Blasillo, que al son del ruego se iba durmiendo. Primero el Padrenuestro con su «hágase tu voluntad así en la tierra
como en el cielo», luego el Santa María con su «ruega por
nosotros, pecadores, ahora y en la hora de nuestra muerte», a seguida la Salve con su «gimiendo y llorando en este
valle de lágrimas», y por último el Credo. Y al llegar a la
«resurrección de la carne y la vida perdurable», todo el
pueblo sintió que su santo había entregado su alma a
Dios. Y no hubo que cerrarle los ojos, porque se murió

con ellos cerrados. Y al ir a despertar a Blasillo nos encontramos con que se había dormido en el Señor para siempre. Así que hubo que enterrar dos cuerpos.

El pueblo todo se fue en seguida a la casa del santo a recoger reliquias, a repartirse retazos de sus vestiduras, a llevarse lo que pudieran como reliquia y recuerdo del bendito mártir. Mi hermano guardó su breviario, entre cuyas hojas encontró, desecada y como en un herbario, una clavellina pegada a un papel y en éste una cruz con una fecha.

Nadie en el pueblo quiso creer en la muerte de don Manuel; todos esperaban verle a diario, y acaso le veían, pasar a lo largo del lago y espejado en él o teniendo por fondo la montaña; todos seguían oyendo su voz, y todos acudían a su sepultura, en torno a la cual surgió todo un culto. Las endemoniadas venían ahora a tocar la cruz de nogal, hecha también por sus manos y sacada del mismo árbol de donde sacó las seis tablas en que fue enterrado. Y los que menos queríamos creer que se hubiese muerto éramos mi hermano y yo.

Él, Lázaro, continuaba la tradición del santo y empezó a redactar lo que le había oído, notas de que me he servido para esta mi memoria.

–Él me hizo un hombre nuevo, un verdadero Lázaro, un resucitado –me decía–. Él me dio fe.

–¿Fe? –le interrumpía yo.

–Sí, fe, fe en el consuelo de la vida, fe en el contento de la vida. Él me curó de mi progresismo. Porque hay, Ángela, dos clases de hombres peligrosos y nocivos: los que convencidos de la vida de ultratumba, de la resurrección de la carne, atormentan, como inquisidores que son, a los demás para que, despreciando esta vida como transitoria, se ganen la otra, y los que no creyendo más que en éste...

–Como acaso tú... –le decía yo.

–Y sí, y como don Manuel. Pero no creyendo más que en este mundo esperan no sé qué sociedad futura y se esfuerzan en negarle al pueblo el consuelo de creer en otro...

–De modo que...

–De modo que hay que hacer que vivan de la ilusión.

El pobre cura que llegó a sustituir a don Manuel en el curato entró en Valverde de Lucerna abrumado por el recuerdo del santo y se entregó a mi hermano y a mí para que le guiásemos. No quería sino seguir las huellas del santo. Y mi hermano le decía: «Poca teología, ¿eh?, poca teología; religión, religión». Y yo al oírselo me sonreía pensando si es que no era también teología lo nuestro.

Yo empecé entonces a temer por mi pobre hermano. Desde que se nos murió don Manuel no cabía decir que viviese. Visitaba a diario su tumba y se pasaba horas muertas contemplando el lago. Sentía morriña de la paz verdadera.

–No mires tanto al lago –le decía yo.

–No, hermana, no temas. Es otro el lago que me llama; es otra la montaña. No puedo vivir sin él.

–¿Y el contento de vivir, Lázaro, el contento de vivir?

–Eso para otros pecadores, no para nosotros que le hemos visto la cara a Dios, a quienes nos ha mirado con sus ojos el sueño de la vida.

–¿Qué, te preparas para ir a ver a don Manuel?

–No, hermana, no; ahora y aquí en casa, entre nosotros solos, toda la verdad por amarga que sea, amarga como el mar a que van a parar las aguas de este dulce lago, toda la verdad para ti, que estás abroquelada contra ella...

–¡No, no, Lázaro; ésa no es la verdad!

–La mía, sí.

–La tuya, ¿pero y la de...?

–También la de él.

–¡Ahora no, Lázaro; ahora no! Ahora cree otra cosa, ahora cree...

–Mira, Ángela, una de las veces en que al decirme don Manuel que hay cosas que aunque se las diga uno a sí mismo debe callárselas a los demás, le repliqué que me decía eso por decírselas a él, esas mismas, a sí mismo, acabó confesándome que creía que más de uno de los más grandes santos, acaso el mayor, había muerto sin creer en la otra vida.

–¿Es posible?

–¡Y tan posible! Y ahora, hermana, cuida que no sospechen siquiera aquí, en el pueblo, nuestro secreto...

–¿Sospecharlo? –le dije–. Si intentase, por locura, explicárselo, no lo entenderían. El pueblo no entiende de palabras; el pueblo no ha entendido más que vuestras obras. Querer exponerles eso sería como leer a unos niños de ocho años unas páginas de Santo Tomás de Aquino... en latín.

–Bueno, pues cuando yo me vaya, reza por mí y por él y por todos.

Y por fin le llegó también su hora. Una enfermedad

que iba minando su robusta naturaleza pareció exacer-
bársele con la muerte de don Manuel.

–No siento tanto tener que morir –me decía en sus últimos días–, como que conmigo se muere otro pedazo del
alma de don Manuel. Pero lo demás de él vivirá contigo.
Hasta que un día hasta los muertos nos moriremos del
todo.

Cuando se hallaba agonizando entraron, como se
acostumbra en nuestras aldeas, los del pueblo a verle ago-
nizar, y encomendaban su alma a don Manuel, a San Manuel Bueno, el mártir. Mi hermano no les dijo nada, no
tenía ya nada que decirles; les dejaba dicho todo, todo lo
que queda dicho. Era otra laña más entre las dos Valver-
des de Lucerna, la del fondo del lago y la que en su sobrehaz se mira; era ya uno de nuestros muertos de vida, uno
también, a su modo, de nuestros santos.

Quedé más que desolada, pero en mi pueblo y con mi
pueblo. Y ahora, al haber perdido a mi San Manuel, al padre de mi alma, y a mi Lázaro, mi hermano aun más que
carnal, espiritual, ahora es cuando me doy cuenta de
que he envejecido y de cómo he envejecido. Pero ¿es que
los he perdido?, ¿es que he envejecido?, ¿es que me acerco
a mi muerte?

¡Hay que vivir! Y él me enseñó a vivir, él nos enseñó a
vivir, a sentir la vida, a sentir el sentido de la vida, a su-
mergirnos en el alma de la montaña, en el alma del lago,
en el alma del pueblo de la aldea, a perdernos en ellas
para quedar en ellas. Él me enseñó con su vida a perder-
me en la vida del pueblo de mi aldea, y no sentía yo más

pasar las horas y los días y los años, que no sentía pasar el
agua del lago. Me parecía como si mi vida hubiese de ser
siempre igual. No me sentía envejecer. No vivía yo ya en
mí, sino que vivía en mi pueblo y mi pueblo vivía en mí.
Yo quería decir lo que ellos, los míos, decían sin querer.
Salía a la calle, que era la carretera, y como conocía a todos vivía en ellos y me olvidaba de mí, mientras que en
Madrid, donde estuve alguna vez con mi hermano, como
a nadie conocía, sentíame en terrible soledad y torturada
por tantos desconocidos.

Y ahora, al escribir esta memoria, esta confesión íntima de mi experiencia de la santidad ajena, creo que don
Manuel Bueno, que mi San Manuel y que mi hermano Lázaro se murieron creyendo no creer lo que más nos inte-
resa, pero sin creer creerlo, creyéndolo en la desolación
activa y resignada.

Pero ¿por qué –me he preguntado muchas veces– no
trató don Manuel de convertir a mi hermano también
con un engaño, con una mentira, fingiéndose creyente
sin serlo? Y he comprendido que fue porque comprendió
que no le engañaría, que para con él no le serviría el engaño, que sólo con la verdad, con su verdad, le converti-
ría; que no habría conseguido nada si hubiese pretendi-
do representar para con él una comedia –tragedia más
bien–, la que representaba para salvar al pueblo. Y así le
ganó, en efecto, para su piadoso fraude; así le ganó con la
verdad de muerte a la razón de vida. Y así me ganó a mí,
que nunca dejé transparentar a los otros su divino, su
santísimo juego. Y es que creía y creo que Dios Nuestro
Señor, por no sé qué sagrados y no escudriñaderos de-
signios, les hizo creerse incrédulos. Y que acaso en el
acabamiento de su tránsito se les cayó la venda. ¿Y yo,
creo?

Y al escribir esto ahora, aquí, en mi vieja casa materna, a mis más de cincuenta años, cuando empiezan a blanquear con mi cabeza mis recuerdos, está nevando, nevando sobre el lago, nevando sobre la montaña, nevando sobre las memorias de mi padre, el forastero; de mi madre, de mi hermano Lázaro, de mi pueblo, de mi San Manuel, y también sobre la memoria del pobre Blasillo, de mi san Blasillo, y que él me ampare desde el cielo. Y esta nieve borra esquinas y borra sombras, pues hasta de noche la nieve alumbra. Y yo no sé lo que es verdad y lo que es mentira, ni lo que vi y lo que sólo soñé –o mejor lo que soñé y lo que sólo vi–, ni lo que supe ni lo que creí. Ni sé si estoy traspasando a este papel, tan blanco como la nieve, mi conciencia, que en él se ha de quedar, quedándome yo sin ella. ¿Para qué tenerla ya...?

¿Es que sé algo?, ¿es que creo algo? ¿Es que esto que estoy aquí contando ha pasado y ha pasado tal y como lo cuento? ¿Es que pueden pasar estas cosas? ¿Es que todo esto es más que un sueño soñado dentro de otro sueño? ¿Seré yo, Ángela Carballino, hoy cincuentona, la única persona que en esta aldea se ve acometida de estos pensamientos extraños para los demás? ¿Y éstos, los otros, los que me rodean, creen? ¿Qué es eso de creer? Por lo menos viven. Y ahora creen en San Manuel Bueno, mártir, que sin esperar inmortalidad les mantuvo en la esperanza de ella.

Parece que el ilustrísimo señor obispo, el que ha promovido el proceso de beatificación de nuestro santo de Valverde de Lucerna, se propone escribir su vida, una especie de manual del perfecto párroco, y recoge para ello toda clase de noticias. A mí me las ha pedido con insistencia, ha tenido entrevistas conmigo, le he dado toda clase de datos, pero me he callado siempre el secreto trágico de don Manuel y de mi hermano. Y es curioso que él no lo haya sospechado. Y confío en que no llegue a su conocimiento todo lo que en esta memoria dejo consignado. Les temo a las autoridades de la tierra, a las autoridades temporales, aunque sean las de la Iglesia.

Pero aquí queda esto, y sea de su suerte lo que fuere.

¿Cómo vino a parar a mis manos este documento, esta memoria de Ángela Carballino? He aquí algo, lector, algo que debo guardar en secreto. Te la doy tal y como a mí ha llegado, sin más que corregir pocas, muy pocas particularidades de redacción. ¿Que se parece mucho a otras cosas que yo he escrito? Esto nada prueba contra su objetividad, su originalidad. ¿Y sé yo, además, si no he creado fuera de mí seres reales y efectivos, de alma inmortal? ¿Sé yo si aquel Augusto Pérez, el de mi nivola *Niebla,* no tenía razón al pretender ser más real, más objetivo que yo mismo, que creía haberle inventado? De la realidad de este San Manuel Bueno, mártir, tal como me lo ha revelado su discípula e hija espiritual Ángela Carballino, de esta realidad no se me ocurre dudar. Creo en ella más que creía el mismo santo; creo en ella más que creo en mi propia realidad.

Y ahora, antes de cerrar este epílogo; quiero recordarte, lector paciente, el versillo noveno de la Epístola del olvidado apóstol San Judas –¡lo que hace un nombre!–, donde se nos dice cómo mi celestial patrono, San Miguel Arcángel –Miguel quiere decir: «¿Quién como Dios», y arcángel, archi-mensajero–, disputó con el Diablo –Diablo quiere decir acusador, fiscal– por el cuerpo de Moisés y no toleró que se lo llevase en juicio de maldición, sino que le dijo al Diablo: «El Señor te reprenda». Y el que quiera entender que entienda.

Quiero también, ya que Ángela Carballino mezcló a su relato sus propios sentimientos, ni sé qué otra cosa quepa, comentar yo aquí lo que ella dejó dicho de que si don Manuel y su discípulo Lázaro hubiesen confesado al pueblo su estado de creencia, éste, el pueblo, no les habría entendido. Ni les habría creído, añado yo. Habrían creído a sus obras y no a sus palabras, porque las palabras no sirven para apoyar las obras, sino que las obras se bastan. Y para un pueblo como el de Valverde de Lucerna no hay más confesión que la conducta. Ni sabe el pueblo qué cosa es fe, ni acaso le importa mucho.

Bien sé que en lo que se cuenta en este relato, si se quiere novelesco –y la novela es la más íntima historia, la más verdadera, por lo que no me explico que haya quien se indigne de que se llame novela al Evangelio, lo que es elevarle, en realidad, sobre un cronicón cualquiera–, bien sé que en lo que se cuenta en este relato no pasa nada; mas espero que sea porque en ello todo se queda, como se quedan los lagos y las montañas y las santas almas sencillas asentadas más allá de la fe y de la desesperación, que en ellos, en los lagos y las montañas, fuera de la historia, en divina novela, se cobijaron.

Salamanca, noviembre de 1930

Cómo se hace una novela

Mihi quaestio factus sum

A. AUGUSTINI, *Confessiones*
(Lib. x, c. 33, n. 50.)

Prólogo

Cuando escribo estas líneas, a fines del mes de mayo de 1927, cerca de mis sesenta y tres y aquí, en Hendaya, en la frontera misma, en mi nativo país vasco, a la vista tantálica de Fuenterrabía, no puedo recordar sin un escalofrío de congoja aquellas infernales mañanas de mi soledad de París, en el invierno, del verano de 1925, cuando en mi cuartito de la pensión del número 2 de la rue La Pérouse me consumía devorándome al escribir el relato que titulé: Cómo se hace una novela. *No pienso volver a pasar por experiencia íntima más trágica. Revivíanseme para torturarme con la sabrosa tortura –de «dolor sabroso» habló Santa Teresa– de la producción desesperada, de la producción que busca salvarnos en la obra, todas las horas que me dieron* El sentimiento trágico de la vida. *Sobre mí pesaba mi vida toda, que era y es mi muerte. Pesaban sobre mí no sólo mis sesenta años de vida individual física, sino más, mucho más que ellos; pesaban sobre mí siglos de una silenciosa tradición recogidos en el más recóndito rincón de mi alma; pesaban sobre mí inefables recuerdos inconscientes de ultracuna. Porque nuestra desesperada esperanza de*

*una vida personal de ultra-tumba se alimenta y medra de
esa vaga remembranza de nuestro arraigo en la eternidad
de la historia.*

*¡Qué mañanas aquellas de mi soledad parisiense! Después de haber leído, según costumbre, un capítulo del Nuevo Testamento, el que me tocara en turno, me ponía a
aguardar y no sólo a aguardar, sino a esperar, la correspondencia de mi casa y de mi patria, y luego de recibida, después del desencanto, me ponía a devorar el bochorno de mi
pobre España estupidizada bajo la más cobarde, la más
soez y la más incivil tiranía.*

*Una vez escritas, bastante de prisa y febrilmente, las
cuartillas de* Cómo se hace una novela, *se las leí a Ventura
García Calderón, peruano, primero, y a Juan Cassou, francés –y tanto español como francés–, después, y se las di a
éste para que las tradujera al francés y se publicasen en alguna revista francesa. No quería que apareciese primero el
texto original español por varias razones, y la primera que
no podría ser en España donde los escritos estaban sometidos a la más denigrante censura castrense, a una censura
algo peor que de analfabetos, de odiadores de la verdad
y de la inteligencia. Y así fue, que una vez traducido por
Cassou, mi trabajo se publicó con el título de* Comment on
fait un roman *y precedido de un* Portrait d'Unamuno, *del
mismo Cassou, en el número del 15 de mayo de 1926 (n.º 670,
37ᵉ année, tome CLXXXVIII) de la vieja revista* Mercure
de France. *Cuando apareció esta traducción me encontraba yo ya aquí, en Hendaya, a donde había llegado a fines
de agosto de 1925, y donde me he quedado en vista del empeño que puso la tiranía pretoriana española en que el gobierno de la República Francesa me alejase de la frontera,
a cuyo efecto llegó a visitarme de parte de Mr. Painlevé,
presidente entonces del Gabinete francés, el prefecto de los*

Bajos Pirineos, que vino al propósito desde Pau, no consiguiendo, como era natural, convencerme de que debía alejarme de aquí. Y algún día contaré con detalles la repugnante farsa que armó en la frontera esta, frente a Vera, la abyecta policía española al servicio del pobre vesánico –epiléptico– general don Severiano Martínez Anido, hoy todavía ministro de la Gobernación y vicepresidente del Consejo de asistentes de la Tiranía Española, para fingir una intentona comunista –¡el coco!– y ejercer presión en el Gobierno Francés para que me internase. Y aun ahora, cuando escribo esto, no han renunciado esos pobres diablos de la que se llama Dictadura a su tema de que se me saque de aquí.

Al salir yo de París, Cassou estaba traduciendo mi trabajo, y después que lo tradujo y envió al Mercure no le reclamé el original mío, mis primitivas cuartillas escritas a pluma –no empleo nunca la mecanografía–, que se quedó en su poder. Y ahora, cuando al fin me resuelvo a publicarlo en mi propia lengua, en la única en que sé desnudar mi pensamiento, no quiero recobrar el texto original. Ni sé con qué ojos volvería a ver aquellas agoreras cuartillas que llené en el cuartito de la soledad de mis soledades de París. Prefiero retraducir de la traducción francesa de Cassou y es lo que me propongo hacer ahora. Pero, ¿es hacedero que un autor retraduzca una traducción que de alguno de sus escritos se haya hecho a otra lengua? Es una experiencia, más que de resurrección, de muerte, o acaso de remortificación. O mejor de rematanza.

Eso que se llama en literatura producción es un consumo, o más preciso: una consunción. El que pone por escrito sus pensamientos, sus ensueños, sus sentimientos los va consumiendo, los va matando. En cuanto un pensamiento nuestro queda fijado por la escritura, expresado, cristaliza-

do, queda ya muerto y no es más nuestro que será un día
bajo tierra nuestro esqueleto. La historia, lo único vivo, es
el presente eterno, el momento huidero que se queda pasando, que pasa quedándose, y la literatura no es más que
muerte. Muerte de que otros pueden tomar vida. Porque el
que lee una novela puede vivirla, revivirla –y quien dice
una novela dice una historia–, y el que lee un poema, una
criatura –poema es criatura y poesía creación– puede re-
crearlo. Entre ellos el autor mismo. ¿Y es que siempre un
autor, al volver a leer una pasada obra suya, vuelve a encontrar la eternidad de aquel momento pasado que hace el
presente eterno? ¿No te ha ocurrido nunca, lector, ponerte
a meditar a la vista de un retrato tuyo, de ti mismo, de hace
veinte o treinta años? El presente eterno es el misterio trágico, es la tragedia misteriosa de nuestra vida histórica o
espiritual. Y he aquí por qué es trágica tortura la de querer
rehacer lo ya hecho, que es deshecho. En lo que entra retra-
ducirse a sí mismo. Y sin embargo...

Sí, necesito vivir, para revivir, para asirme de ese pasado
que es toda mi realidad venidera, necesito retraducirme. Y
voy a retraducirme. Pero como al hacerlo he de vivir mi
historia de hoy, mi historia desde el día en que entregué
mis cuartillas a Juan Cassou, me va a ser imposible mante-
nerme fiel a aquel momento que pasó. El texto, pues, que
dé aquí, disentirá en algo del que, traducido al francés,
apareció en el número de 15 de mayo de 1926 del Mercure
de France. Ni deben interesar a nadie las discrepancias.
Como no sea a algún erudito futuro.

Como en el Mercure mi trabajo apareció precedido de
una especie de prólogo de Cassou titulado Portrait d'Unamuno, voy a traducir éste y a comentarlo luego brevemente.

Retrato de Unamuno
por Jean Cassou

San Agustín se inquieta con una especie de frenética angustia al concebir lo que podía haber sido antes del despertar de su conciencia. Más tarde se asombra de la muerte de un amigo que había sido otro él mismo. No me parece que Miguel de Unamuno, que se detiene en todos los puntos de sus lecturas, haya citado jamás estos dos pasajes. Se re-encontraría en ellos, sin embargo. Hay de San Agustín en él, y de Juan Jacobo, de todos los que, absortos en la contemplación de su propio milagro, no pueden soportar el no ser eternos.

El orgullo de limitarse, de recoger a lo íntimo de la propia existencia la creación entera, está contradicho por estos dos insondables y revolvientes misterios: un nacimiento y una muerte que repartimos con otros seres vivientes y por lo que entramos en un destino común. Es este drama único el que ha explorado en todos sentidos y en todos los tonos la obra de Unamuno.

Sus ventajas y sus vicios, su soledad imperiosa, una avaricia necesaria y muy del terruño –de la tierra vasca–, la envidia, hija de aquel Caín cuya sombra, según un poe-

63

ma de Machado, se extiende sobre la desolación del desierto castellano; cierta pasión que algunos llaman amor
y que es para él una necesidad terrible de propagar esta
carne de que se asegura que ha de resucitar en el último
día –consuelo más cierto que el que nos trae la idea de la
inmortalidad del espíritu–; en una palabra, todo un
mundo absorbente y muy de él, con virtudes cardinales y
pecados, que no son del todo los de la teología ortodoxa..., hay que penetrar en ello; es esta humanidad la que
confiesa, la que no cesa de confesar, de clamar y procla-
mar, pensando así conferirle una existencia que no sufra
la ley ordinaria, hacer de ella una creación de la que no
sólo no se perderá nada, sino que su agregación misma
quedase permanente, sustancia y forma, organización divina, deificación, apoteosis.

Por estos perpetuos análisis y sublimación de sí, Miguel de Unamuno atestigua su eternidad; es eterno como
toda cosa es en él eterna, como lo son los hijos de su espíritu, como aquel personaje de *Niebla* que viene a echarle
en cara el grito terrible de: «¡Don Miguel, no quiero morir!»; como Don Quijote, más vivo que el pobre cadáver
llamado Cervantes; como España, no la de los príncipes,
sino la suya, la de don Miguel, que transporta consigo en
sus destierros, que hace día a día, y de que hace en cada
uno de sus escritos la lengua y el pensar, y de la que puede
en fin decir que es su hija y no su madre.

A Shakespeare, a Pascal, a Nietzsche, a todos los que
han intentado retener a su trágica aventura personal un
poco de esta humanidad que se escurre tan vertiginosa-
mente, viene a añadir Miguel de Unamuno su experiencia y su esfuerzo. Su obra no palidece al lado de esos no-
bles nombres: significa la misma avidez desesperada.

No puede admitir la suerte de Polonio y que Hamlet,

arrastrando su andrajo por los sobacos, lo eche fuera de la escena: «¡Vamos, venga, señor!». Protesta. Su protesta sube hasta Dios, no a esa quimera fabricada a golpe de abstracciones alejandrinas por metafísicos ebrios de logomaquia, sino al Dios español, al Cristo de ojos de vidrio, de pelo natural, de cuerpo articulado, hecho de tierra y de palo, sangriento, vestido, en que una faldilla bordada en oro disimula las vergüenzas, que ha vivido entre las cosas familiares y que, como dijo Santa Teresa, se le encuentra hasta en el puchero.

Tal es la agonía de don Miguel de Unamuno, hombre en lucha, en lucha consigo mismo, con su pueblo y contra su pueblo, hombre hostil, hombre de guerra civil, tribuno sin partidarios, hombre solitario, desterrado, salvaje, orador en el desierto, provocador, irreconciliable, enemigo de la nada y a quien la nada atrae y devora, desgarrado entre la vida y la muerte, muerto y resucitado a la vez, invencible y siempre vencido.

No le gustaría que en un estudio consagrado a él se hiciera el esfuerzo de analizar sus ideas. De los dos capítulos de que se compone habitualmente este género de ensayos –el Hombre y sus ideas– no logra concebir más que el primero. La ideocracia es la más terrible de las dictaduras que ha tratado de derribar. Vale más en un estudio del hombre conceder un capítulo a sus palabras que no a sus ideas. «Los sentidos –ha dicho Pascal antes que Buffon– reciben de las palabras su dignidad en vez de dársela.» Unamuno no tiene ideas: es él mismo, las ideas que le dan los otros se hacen en él, al azar de los encuentros, al azar de sus paseos por Salamanca donde encuentra a Cervantes y a Fray Luis de León, al azar de esos viajes espirituales que le llevan a Port Royal, a Atenas o a Copenhague, patria de Sören Kierkegaard, al azar de ese viaje real que le trajo a París donde se mezcló, inocentemente y sin asombrarse ni un momento, a nuestro carnaval.

Esta ausencia de ideas, pero este perpetuo monólogo en que todas las ideas del mundo se mejen para hacerse problema personal, pasión viva, prueba hirviente, patético egoísmo, no ha dejado de sorprender a los franceses, grandes amigos de conversaciones o cambios de ideas, prudente dialéctica, tras de la cual se conviene en que la inquietud individual se vele cortésmente hasta olvidarse y perderse: grandes amigos también de interviús y de encuestas en que el espíritu cede a las sugestiones de un periodista que conoce bien a su público y sabe los problemas generales y muy de actualidad a que es absolutamente preciso dar una respuesta, los puntos sobre que es oportuno hacer nacer escándalo y aquellos al contrario que exigen una solución apaciguadora. Pero ¿qué tiene que hacer aquí el soliloquio de un viejo español que no quiere morirse?

Prodúcese en la marcha de nuestra especie una perpetua y entristecedora degradación de energía: toda generación se desenvuelve con una pérdida más o menos constante del sentido humano, de lo absoluto humano. Tan sólo se asombran de ello algunos individuos que en su avidez terrible no quieren perder nada, sino lo que es más aún, ganarlo todo. Es la cuita de Pascal que no puede comprender que se deje uno distraer de ello. Es la cuita de los grandes españoles para quienes las ideas y todo lo que puede constituir una economía provisoria –moral o política– no tiene interés alguno. No tienen economía más que de lo individual y, por lo tanto, de lo eterno. Y así, para Unamuno hacer política es, todavía, salvarse. Es defender su persona, afirmarla, hacerla entrar para siempre en la historia. No es asegurar el triunfo de una doctrina, de un partido, acrecentar el territorio nacional o derribar un orden social. Así es que Unamuno si hace política no puede entenderse con ningún político. Los decepciona a todos y sus polémicas se pierden en la confusión, porque es consigo mismo con quien polemiza. El Rey, el Dictador; de buena gana haría de ellos personajes de su escena interior. Como lo ha hecho con el Hombre Kant o con Don Quijote.

Así es que Unamuno se encuentra en una continua mala inteligencia con sus contemporáneos. Político para quien las fórmulas de interés general no representan nada, novelista y dramaturgo a quien hace sonreír todo lo que se puede contar sobre la observación de la realidad y el juego de las pasiones, poeta que no concibe ningún ideal de belleza soberana, Unamuno, feroz y sin generosidad, ignora todos los sistemas, todos los principios, todo lo que es exterior y objetivo. Su pensamiento, como el de Nietzsche, es impotente para expresarse en forma discursiva. Sin llegar hasta a recogerse en aforismos y forjarse a martillazos es, como el del poeta filósofo, ocasional y sujeto a las acciones más diversas. Sólo el suceso personal lo determina, necesita de un excitante y de una resistencia; es un pensamiento esencialmente exegético. Unamuno, que no tiene una doctrina propia, no ha escrito más que libros de comentarios; comentarios al *Quijote,* comentarios al Cristo de Velázquez, comentarios a los discursos de Primo de Rivera. Sobre todo comentarios a todas esas cosas en cuanto afectan a la integridad de don Miguel de Unamuno, a su conservación, a su vida terrestre y futura.

Del mismo modo, Unamuno poeta es por completo poeta de circunstancia –aunque, claro está que en el sentido más amplio de la palabra–. Canta siempre algo. La

poesía no es para él ese ideal de sí misma tal como podía
alimentarlo un Góngora. Pero, tempestuoso y altanero
como un proscrito del Risorgimento, Unamuno siente a
las veces la necesidad de clamar, bajo forma lírica, sus recuerdos de niñez, su fe, sus esperanzas, los dolores de su
destierro. El arte de los versos no es para él una ocasión
de abandonarse. Es más bien, por el contrario, una ocasión, más alta sólo y como más necesaria, de redecirse y
de recogerse. En las vastas perspectivas de esta poesía
oratoria, dura, robusta y romántica, sigue siendo él mismo más poderosamente todavía y como gozoso de ese
triunfo más difícil que ejerce sobre la materia verbal y sobre el tiempo.

Nos hemos propuesto el arte como un canon que imitar, una norma que alcanzar o un problema que resolver.
Y si nos hemos fijado un postulado no nos agrada que se
aparte alguien de él. ¿Admitiremos las obras que escribe
este hombre, tan erizadas de desorden al mismo tiempo
que ilimitadas y monstruosas que no se las puede encasillar en ningún género y en las que nos detienen a cada
momento intervenciones personales, y con una truculen-
ta y familiar insolencia, el curso de la ficción –filosófica o
estética– en que estábamos a punto de ponernos de
acuerdo?

Cuéntase de Luis Pirandello, a cuyo idealismo irónico
se le han reprochado a menudo ciertos juegos unamunia-
nos, que ha guardado largo tiempo consigo, en su vida
cotidiana, a su madre loca. Una aventura parecida le ha
ocurrido a Unamuno, que ha vivido su existencia toda en
compañía de un loco y el más divino de todos: Nuestro
Señor don Quijote. De aquí que Unamuno no pueda sufrir ninguna servidumbre. Las ha rechazado todas. Si este
prodigioso humanista, que ha dado la vuelta a todas las

cosas conocibles, ha tomado en horror dos ciencias par-
ticulares: la pedagogía y la sociología, es, sin duda alguna, a causa de su pretensión de someter la formación del
individuo y lo que de más profundo y de menos reducti-
ble lleva ello consigo, a una construcción *a priori*. Si se
quiere seguir a Unamuno hay que ir eliminando poco a
poco de nuestro pensamiento todo lo que no sea su integridad radical, y prepararnos a esos caprichos súbitos, a
esas escapadas de lenguaje por las que esa integridad tiene que asegurarse en todo momento de su flexibilidad y
de su buen funcionamiento. A nosotros nos parece que
no aceptar las reglas es arriesgarnos a caer en el ridículo.
Y precisamente don Quijote ignora este peligro. Y Unamuno quiere ignorarlo. Los conoce todos, salvo ése. Antes que someterse a la menor servidumbre prefiere verse
reducido a esa sima resonante de carcajadas.

Habiendo apartado de Unamuno todo lo que no es él
mismo, pongámonos en el centro de su resistencia: el
hombre aparece, formado, dibujado, en su realidad física. Marcha derecho, llevando, a donde quiera que vaya, o
donde quiera que se pasee, en aquella hermosa plaza ba-
rroca de Salamanca, o en las calles de París, o en los caminos del país vasco, su inagotable monólogo siempre el
mismo, a pesar de la riqueza de las variantes. Esbelto, vestido con el que llama su uniforme civil, firme la cabeza
sobre los hombros que no han podido sufrir jamás, ni
aun en tiempo de nieve, un sobretodo, marcha siempre
hacia adelante, indiferente a la calidad de sus oyentes, a la
manera de su maestro que discurría ante los pastores
como ante los duques, y prosigue el trágico juego verbal
del que, por otra parte, no se deja sorprender. ¿Y no atri-
buye también la mayor importancia trascendental a ese
arte de las pajaritas de papel que es su triunfo? ¿Todo ese

conceptismo lo expresarán, lo prolongarán más esos ju-
gueteos filológicos? Con Unamuno tocamos el fondo del
nihilismo español. Comprendemos que este mundo depende hasta tal punto del sueño, que ni merece ser soñado en una forma sistemática. Y si los filósofos se han
arriesgado a ello es sin duda por un exceso de candor. Es
que han sido presos en su propio lazo. No han visto la
parte de sí mismos, la parte de ensueño personal que po-
nían en su esfuerzo. Unamuno, más lúcido, se siente obligado a detenerse a cada momento para contradecirse y
negarse. Porque se muere.

Pero ¿para qué las coyunturas del mundo habrían de
haber producido ese accidente: Miguel de Unamuno, si
no es para que dure y se eternice? Y balanceando entre el
polo de la nada y el de la permanencia, sigue sufriendo
ese combate de su existencia cotidiana donde el menor
suceso reviste la importancia más trágica; no hay ninguno de sus gestos que pueda someterse a ese ordenamiento
objetivo y convenido por que reglamos los nuestros. Los
suyos están bajo la dependencia de un más alto deber; re-
fiérelos a su cuita de permanecer.

Y así nada de inútil, nada de perdido en las horas en
medio de las cuales se revuelve, y los instantes más ordi-
narios, en que nos abandonamos al curso del mundo, él
sabe que los emplea en ser él mismo. Jamás le abandona
su congoja, ni aquel orgullo que comunica esplendor a
todo cuanto toca, ni esa codicia que le impide escurrirse y
anonadarse sin conocimiento de ello. Está siempre despierto, y si duerme es para recogerse mejor ante el sueño
de la vela y gozar de él. Acosado por todos lados por ame-
nazas y embates que sabe ver con una claridad bien amarga, su gesto continuo es el de atraer a sí todos los conflictos, todos los cuidados, todos los recursos. Pero reducido

a ese punto extremo de la soledad y del egoísmo, es el más rico y el más humano de los hombres. Pues no cabe negar que haya reducido todos los problemas al más sencillo y al más natural, y nada nos impide mirarnos en él como en un hombre ejemplar: encontraremos la más viva de las emociones. Desprendámonos de lo social, de lo temporal, de los dogmas y de las costumbres de nuestro hormiguero. Va a desaparecer un hombre: todo está ahí. Si rehúsa, minuto a minuto, esa partida, acaso va a salvarnos. A fin de cuentas es a nosotros a quienes defiende defendiéndose.

JEAN CASSOU

Comentario

¡Ay, querido Cassou!, con este retrato me tira usted de la lengua y el lector comprenderá que si lo incluyo aquí traduciéndolo, es para comentarlo. Ya el mismo Cassou dice que no he escrito sino comentarios, y aunque no entienda muy bien esto ni acierte a comprender en qué se diferencian de los comentarios los que no lo son, me aquieto pensando que acaso la *Ilíada* no es más que un comentario a un episodio de la guerra de Troya, y la *Divina Comedia* un comentario a las doctrinas escatológicas de la teología católica medieval y a la vez a la revuelta historia florentina del siglo XIII y a las luchas del Pontificado y del Imperio. Bien es verdad que el Dante no pasó de ser, según los de la poesía pura –he leído hace poco los comentarios éticos del abate Bremond–, un poeta de circunstancias. Como los Evangelios y las epístolas paulinianas no son más que escritos de circunstancias.

Y ahora repasando el Retrato de Cassou y mirándome, no sin asombro, en él como en un espejo, pero en un espejo tal que vemos más el espejo mismo que lo en él espejado, empiezo por detenerme en eso de que deteniéndo-

me en todos los puntos de mis lecturas no me haya detenido nunca en los pasajes que de San Agustín cita mi re-
tratista. Hace ya muchos años, cerca de cuarenta, que leí
las *Confesiones* del africano y, cosa rara, no las he vuelto a
leer, y no recuerdo qué efecto me produjeron entonces,
en mi mocedad, esos dos pasajes. ¡Eran tan otros los cuidados que me atosigaban entonces, cuando mi mayor
cuita era la de poder casarme cuanto antes con la que es
hoy y será siempre la madre de mis hijos y por ende mi
madre! Sí, gusto detenerme –aunque habría que decir
algo más íntimo y vital y menos estético que gustar–, gusto detenerme no sólo en todos los puntos de mis lecturas
sino en todos los momentos que pasan, en todos los momentos por los que paso. Se habla por hablar del libro de
la vida, y para los más de los que emplean esta frase tan
preñada de sentido como casi todas las que llegan a la
preeminencia de lugares comunes, eso del libro de la vida, como lo del libro de la naturaleza, no quiere decir
nada. Es que los pobrecitos no han comprendido, si es
que lo conocen, aquel pasaje del Apocalipsis, del Libro de
la Revelación, en que el Espíritu le manda al apóstol que
se coma un libro. Cuando un libro es cosa viva hay que
comérselo, y el que se lo come, si a su vez es viviente, si
está de veras vivo, revive con esa comida. Pero para los escritores –y lo triste es que ya apenas leen sino los mismos
que escriben–, para los escritores un libro no es más que
un escrito, no es una cosa sagrada, viviente, revividora,
eternizadora, como lo son la Biblia, el Corán, los Discursos de Buda y nuestro Libro, el de España, el *Quijote*.
Y sólo pueden sentir lo apocalíptico, lo revelador de comerse un libro los que sienten cómo el Verbo se hizo carne a la vez que se hizo letra y comemos, en pan de vida
eterna, eucarísticamente, esa carne y esa letra. Y la letra

que comemos, que es carne, es también palabra, sin que
ello quiera decir que es idea, esto es: esqueleto. De esqueletos no se vive; nadie se alimenta con esqueletos. Y he
aquí por qué suelo detenerme al azar de mis lecturas de
toda clase de libros, y entre ellos del libro de la vida, de la
historia que vivo; y del libro de la naturaleza, en todos los
puntos vitales.

Cuenta el cuarto Evangelio (Juan, VIII, 6-9), y para esto
nos salen ahora diciendo los ideólogos que el pasado es
apócrifo, que cuando los escribas y fariseos le presenta-
ron a Jesús la mujer adúltera, él, doblegándose a tierra,
escribió en el polvo de ésta, sin caña ni tinta, con el dedo
desnudo, y mientras le interrogaban volvió a doblegarse
y a escribir después de haberles dicho que el que se sintie-
se sin culpa arrojase el primero una piedra a la pecadora,
y ellos, los acusadores, se fueron en silencio. ¿Qué leyeron
en el polvo que escribió el Maestro? ¿Leyeron algo? ¿Se
detuvieron en aquella lectura? Yo, por mi parte, me voy
por los caminos del campo y de la ciudad, de la naturaleza
y de la historia, tratando de leer, para comentarlo, lo que
el invisible dedo desnudo de Dios ha escrito en el polvo
que se lleva el viento de las revoluciones naturales y el de
las históricas. Y Dios al escribirlo se doblega a tierra. Y lo
que Dios ha escrito es nuestro propio milagro, el milagro
de cada uno de nosotros, San Agustín, Juan Jacobo, Juan
Cassou, tú, lector, o yo que escribo ahora con pluma y
tinta este comentario, el milagro de nuestra conciencia de
la soledad y de la eternidad humanas.

¡La soledad! La soledad es el meollo de nuestra esencia, y con eso de congregarnos, de arrebañarnos, no hacemos sino ahondarla. ¿Y de dónde si no de la soledad, de
nuestra soledad radical, ha nacido esa envidia, la de Caín,
cuya sombra se extiende –bien lo decía mi Antonio Ma-

chado– sobre la solitaria desolación del alto páramo castellano? Esa envidia, cuyo poso ha remejido la actual Tiranía española, que no es sino el fruto de la envidia caini-
ta, principalmente de la conventual y de la cuartelera, de
la frailuna y de la castrense, esa envidia que nace de los re-
baños sometidos a ordenanza, esa envidia inquisitorial
ha hecho la tragedia de la historia de nuestra España. El
español se odia a sí mismo.

Ah, sí, hay una humanidad por dentro de esa otra triste humanidad arrebañada, hay una humanidad que con-
fieso y por la que clamo. ¡Y con qué acierto verbal ha escrito Cassou que hay que darle una «organización
divina»! ¿Organización divina? Lo que hay que hacer es
organizar a Dios.

Es cierto; el Augusto Pérez de mi *Niebla* me pedía que
no le dejase morir, pero es que a la vez que yo le oía eso –y
se lo oía cuando lo estaba, a su dictado, escribiendo–, oía
también a los futuros lectores de mi relato, de mi libro,
que mientras lo comían, acaso devorándolo, me pe-
dían que no les dejase morir. Y todos los hombres en nuestro trato mutuo, en nuestro comercio espiritual humano,
buscamos no morirnos; yo no morirme en ti, lector que
me lees, y tú no morirte en mí que escribo para ti esto. Y
el pobre Cervantes, que es algo más que un pobre cadáver, cuando al dictado de Don Quijote escribió el relato
de la vida de éste, buscaba no morir. Y a propósito de
Cervantes, no quiero dejar pasar la coyuntura de decir
que cuando nos dice que sacó la historia del Caballero de
un libro arábigo de Cide Hamete Benengeli, quiere decir-
nos que no fue mera ficción de su fantasía. La ocurrencia
de Cide Hamete Benengeli encierra una profunda lección
que espero desarrollar algún día. Porque ahora debo pasar al azar del comentario, a otra cosa.

A cuando Cassou comenta aquello que yo he dicho y escrito, y más de una vez, de mi España, que es tanto mi hija como mi madre. Pero mi hija por ser mi madre, y mi madre por ser mi hija. O sea mi mujer. Porque la madre de nuestros hijos es nuestra madre y es nuestra hija. ¡Madre e hija! Del seno desgarrado de nuestra madre salimos, sin conciencia, a ver a la luz del sol el cielo y la tierra, la azulez y la verdura, ¡y qué mayor consuelo que el poder, en nuestro último momento, reclinar la cabeza en el regazo conmovido de una hija y morir, con los ojos abiertos, bebiendo con ellos, como viático, la verdura eterna de la patria!

Dice Cassou que mi obra no palidece. Gracias. Y es porque es la misma siempre. Y porque la hago de tal modo que pueda ser otra para el lector que la lea comiéndola. ¿Qué me importa que no leas lector, lo que yo quise poner en ella, si es que lees lo que te enciende en vida? Me parece necio que un autor se distraiga en explicar lo que quiso decir, pues lo que nos importa no es lo que quiso decir, sino lo que dijo, o mejor lo que oímos. Así Cassou me llama además de salvaje –y si esto quiere decir hombre de la selva, me conformo–, paradójico e irreconciliable. Lo de paradójico me lo han dicho muchas veces y de tal modo que he acabado por no saber qué es lo que entienden por paradoja los que me lo han dicho. Aunque paradoja es, como pesimismo, una de las palabras que han llegado a perder todo sentido en nuestra España de la conformidad rebañega. ¿Irreconciliable yo? ¡Así se hacen las leyendas! Mas dejemos ahora esto.

Luego me dice Cassou muerto y resucitado a la vez –*mort et ressucité ensemble*–. Al leer esto de resucitado sentí un escalofrío de congoja. Porque se me hizo presente lo que se nos cuenta en el cuarto Evangelio (Juan, XII,

10), de que los sacerdotes tramaban matar a Lázaro resucitado porque muchos de los judíos se iban por él a Jesús y creían. Cosa terrible ser resucitado y más entre los que teniendo nombre de vivos están muertos según el Libro de la Revelación (Ap. III, 1-2). Esos pobres muertos ambulantes y parlantes y gesticulantes y accionantes que se acuestan sobre el polvo en que escribió el dedo desnudo de Dios y no leen nada en él y como nada leen no sueñan. Ni leen nada tampoco en la verdura del campo. Porque, ¿no te has detenido nunca, lector, en aquel abismático momento poético del mismo cuarto Evangelio (Juan, VI, 10) donde se nos cuenta cuando seguía una gran muchedumbre a Jesús más allá del lago Tiberíades, de Galilea, y había que buscar pan para todos y apenas si tenían dinero y Jesús dijo a sus apóstoles: «¡Haced que los hombres se sienten!». Y añade el texto del Libro: «Pues había mucha yerba en el lugar». Mucha yerba verde, mucha verdura del campo, allí donde la muchedumbre hambrienta de la palabra del Verbo, del Maestro, había de sentarse para oírle, para comer su palabra. ¡Mucha yerba! No se sentaron sobre el polvo que arremolina el viento, sino sobre la verde yerba a que mece la brisa. ¡Había mucha yerba!

Dice luego Cassou que yo no tengo ideas, pero lo que creo que quiere decir es que las ideas no me tienen a mí. Y hace unos comentarios sugeridos seguramente por cierta conversación que tuve con un periodista francés y que se publicó en *Les Nouvelles Litteraires*. ¡Y cómo me ha pesado después el haber cedido a la invitación de aquella entrevista! Porque, en efecto, ¿qué es lo que podía yo decir a un reportero que conoce a su público y sabe los problemas generales y de actualidad –que son, por ser los menos individuales, a la vez los menos universales y son los de menos eternidad– a que hay que dar una respuesta, los puntos en que es oportuno hacer nacer escándalo y aquellos que exigen una solución apaciguadora? ¡Escándalo! Pero ¿qué escándalo? No aquel escándalo evangélico, aquel de que nos habla el Cristo diciendo que es menester, que le hay, mas, ¡ay de aquel por quien viniere!, no el escándalo satánico o el luzbelino, que es un escándalo arcangélico e infernal, sino el miserable escándalo de las cominerías de los cotarros literarios, de esos mezquinos y menguados cotarros de los hombres de letras que ni saben comerse un libro –no pasan de leerlo– ni saben amasar con su sangre y su carne un libro que se coma, sino escribirlo con tinta y pluma. Tiene razón Cassou: ¿qué tiene que hacer en esas interviús un hombre, español o no, que no quiere morirse y que sabe que el soliloquio es el modo de conversar de las almas que sienten la soledad divina? ¿Y qué le importa a nadie lo que Pedro juzga de Pablo, o la estimación que de Juan hace Andrés?

No, no me importan los problemas que llaman de actualidad y que no lo son. Porque la verdadera actualidad, la siempre actual, es la del presente eterno. Muchas veces en estos días trágicos para mi pobre patria oigo preguntar: «¿y qué haremos mañana?». No, sino qué vamos a hacer ahora. O mejor, qué voy a hacer yo ahora, qué va a hacer ahora cada uno de nosotros. Lo presente y lo individual; el ahora y el aquí. En el caso concreto de la actual situación política –o mejor que política, apolítica, esto es, incivil– de mi patria, cuando oigo hablar de política futura y de reforma de la Constitución, contesto que lo primero es desembarazarnos de la presente miseria, lo primero acabar con la tiranía y enjuiciarla para ajusticiarla. Y lo demás que espere. Cuando el Cristo iba a resucitar a la hija de Jairo se encontró con la hemorroidesa y detúvose con ella, pues era lo del momento; la otra, la muerta, que esperase.

Dice Cassou, generalizándole por mí, que para los grandes españoles todo lo que puede constituir una economía provisoria –moral o política– no tiene interés alguno, que no tienen economía más que de lo individual y, por lo tanto, de lo eterno, que para mí el hacer política es salvarme, defender mi persona, afirmarla, hacerla entrar para siempre en la historia. Y respondo: primero, que lo provisorio es lo eterno, que el aquí es el centro del espacio infinito, el foco de la infinitud, y el ahora el centro del tiempo, el foco de la eternidad; luego, que lo individual es lo universal –en lógica los juicios individuales se asimilan a los universales– y, por lo tanto, lo eterno, y por último, que no hay otra política que la de salvar en la historia a los individuos. Ni el asegurar el triunfo de una doctrina, de un partido, acrecentar el territorio nacional o derribar un orden social vale nada como no sea para salvar las almas de los hombres individuales. Y respondo también que puedo entenderme con políticos –y me he entendido más de una vez con algunos de ellos–, que puedo entenderme con todos los políticos que sienten el valor infinito y eterno de la individualidad. Y aunque se llamen socialistas y precisamente acaso por llamarse así. Y sí, hay que entrar para siempre –*à jamais*– en la historia. ¡Para siempre! El verdadero padre de la historia histórica, de la historia política, el profundo Tucídides –verdadero maestro de Maquiavelo– decía que escribía la historia «para siempre», ἐς ἀἐι. Y escribir historia para siempre es una de las maneras, acaso la más eficaz, de entrar para siempre en la historia, de hacer historia para siempre. Y si la historia humana es, como lo he dicho y repetido, el pensamiento de Dios en la tierra de los hombres, hacer historia, y para siempre, es hacer pensar a Dios, es organizar a Dios, es amasar la eternidad. Y por algo decía otro de los más grandes discí-

pulos y continuadores de Tucídides, Leopoldo de Ranke,
que cada generación humana está en contacto inmediato
con Dios. Y es que el Reino de Dios, cuyo advenimiento
piden a diario los corazones sencillos –«¡venga a nos el tu
reino!»–, ese reino que está dentro de nosotros, nos está
viniendo momento a momento, y ese reino es la eterna
venida de él. Y toda la historia es un comentario del pensamiento de Dios.

¿Comentario? Cassou dice que no he escrito más que
comentarios. ¿Y los demás, qué han escrito? En el sentido
restringido y académico en que Cassou parece querer
emplear ese vocablo no sé que mis novelas y mis dramas
sean comentarios. Mi *Paz en la Guerra,* pongo por caso,
¿en qué es comentario? Ah, sí, comentario a la historia
política de la guerra civil carlista de 1873 a 1876. Pero es
que hacer comentarios es hacer historia. Como escribir
contando cómo se hace una novela es hacerla. ¿Es más
que una novela la vida de cada uno de nosotros? ¿Hay novela más novelesca que una autobiografía?

Quiero pasar de ligero lo que Cassou me dice de ser yo
poeta de circunstancia –Dios lo es también– y lo que comenta de mi poesía «oratoria, dura, robusta y romántica». He leído hace poco lo que se ha escrito de la poesía
pura –pura como el agua destilada, que es impotable, y
destilada en alquitara de laboratorio y no en las nubes
que se ciernen al sol y al aire libres–, y en cuanto a roman-
ticismo he concluido por poner este término al lado de
los de paradoja y pesimismo, es decir, que no sé ya lo que
quiera decir, como no lo saben tampoco los que de él abu-
san.

A renglón seguido Cassou se pregunta si admitirán
mis obras erizadas de desorden, ilimitadas y monstruosas, y a las que no se les puede encasillar en ningún géne-

ro –«encasillar», *classer,* y «género», ¡aquí está el toque!–
y habla de cuando el lector está a punto de ponerse de
acuerdo –*nous mettre d'accord*– con el curso de la ficción
que le presento. Pero ¿y para qué tiene el lector que ponerse de acuerdo con lo que el escritor le dice? Por mi parte, cuando me pongo a leer a otro no es para ponerme de
acuerdo con él. Ni le pido semejante cosa. Cuando alguno de esos lectores impenetrables, de esos que no saben
comerse libros ni salirse de sí mismos, me dice después
de haber leído algo mío: «¡no estoy conforme!, ¡no estoy
conforme!», le replico, celando cuanto puedo mi compasión: «¿y qué nos importa, señor mío, ni a usted ni a mí el
que no estemos conformes?». Es decir, por lo que a mí
hace, ni estoy siempre conforme conmigo mismo y suelo
estarlo con los que no se conforman conmigo. Lo propio
de una individualidad viva, siempre presente, siempre
cambiante y siempre la misma, que aspira a vivir siempre –y esa aspiración es su esencia–, lo propio de una individualidad que lo es, que es y existe, consiste en alimentarse
de las demás individualidades y darse a ellas en alimento.
En esa consistencia se sostiene su existencia, y resistir a
ello es desistir de la vida eterna. Y ya ven Cassou y el lector a qué juegos dialécticos tan conceptistas –tan españoles– me lleva el proceso etimológico de ex-istir, con-sis-
tir, re-sistir y de-sistir. Y aún falta in-sistir, que dicen
algunos que es mi característica: la insistencia. Con todo lo
cual creo a-sistir a mis prójimos, a mis hermanos, a mis co-
hombres, a que se encuentren a sí mismos y entren para
siempre en la historia y se hagan su propia novela. ¡Estar
conformes! ¡Bah!; hay animales herbívoros y hay plantas
carnívoras. Cada uno se sostiene de sus contrarios.

Cuando Cassou menciona el rasgo más íntimo, más
entrañado, más humano de la novela dramática que es la

vida de Pirandello, el que haya tenido consigo, en su vida
cotidiana, a su madre loca –¡y qué!, ¿iba a echarla a un
manicomio?–, me sentí estremecido, porque, ¿no guar-
do yo, y bien apretada a mi pecho, en mi vida cotidiana, a
mi pobre madre España, loca también? No, a Don Quijote sólo, no, sino a España, a España loca como Don Quijote; loca de dolor, loca de vergüenza, y, ¿quién sabe?,
loca acaso de remordimiento. Esa cruzada en que el rey
Alfonso XIII, representante de la extranjería espiritual
habsburgiana, la ha metido, ¿es más que una locura? Y no
una locura quijotesca.

En cuanto a Don Quijote, ¡he dicho ya tanto...!, ¡me ha
hecho decir tanto...! Un loco, sí, aunque no el más divino
de todos. El más divino de los locos fue y sigue siendo Jesús, el Cristo. Pues cuenta el segundo Evangelio, el según
Marcos (III, 21), que los suyos –*hoi par'autou*–, los de su
casa y familia, su madre y sus hermanos –como dice luego el versillo 31–, fueron a recogerle diciendo que estaba
fuera de sí –*hoti exeste*–, enajenado, loco. Y es curioso
que el término griego con el que se expresa que uno está
loco sea el de estar fuera de sí, análogo al latino *ex-sistere*,
existir. Y es que la existencia es una locura y el que existe,
el que está fuera de sí, el que se da, el que trasciende, está
loco. Ni es otra la santa locura de la cruz. Contra lo cual la
cordura, que no es sino tontería, de estarse en sí, de reser-
varse, de recogerse. Cordura de que estaban llenos aquellos fariseos que reprochaban a Jesús y sus discípulos el
que arrancaran espigas de trigo para comérselas, después
de trilladas por restrego de las manos, en sábado, y que
curara Jesús a un manco en sábado, y de quienes dice el
tercer Evangelio (Luc. VI, 11) que estaban llenos de de-
mencia o de necedad –*anoias*– y no de locura. Necios o
dementes los fariseos litúrgicos y observantes, y no locos.

Aunque fariseo empezó siendo aquel Pablo de Tarso, el descubridor místico de Jesús, a quien el pretor Festo le dijo dando una gran voz (Hechos, XXVI, 24): «Estás loco, Pablo; las muchas letras te han llevado a la locura». Si bien no empleó el término evangélico de la familia de Cristo, el de que estaba fuera de sí, sino que desbarraba –*mainei*– que había caído en *manía*. Y emplea este mismo vocablo que ha llegado hasta nosotros. San Pablo era para el pretor Festo un maniático; las muchas letras, las muchas lecturas, le habían vuelto el seso, secándoselo o no, como a Don Quijote las de los libros de caballerías.

¿Y por qué han de ser lecturas las que le vuelvan a uno loco como le volvieron a Pablo de Tarso y a Don Quijote de la Mancha? ¿Por qué ha de volverse uno loco comiendo libros? ¡Hay tantos modos de enloquecer!, y otros tantos de entontecerse. Aunque el más corriente modo de entontecimiento proviene de leer libros sin comérselos, de tragar letra sin asimilársela haciéndola espíritu. Los tontos se mantienen –se mantienen en su tontería– con huesos y no con carne de doctrina. Y los tontos son los que dicen: «¡de mí no se ríe nadie!», que es también lo que suele decir el general Martínez Anido, verdugo mayor de España, a quien no le importa que se le odie con tal de que se le tema. «¡De mí no se ríe nadie!», y Dios se está riendo de él. Y de las tonterías que propala a cuenta del bolcheviquismo.

Quisiera no decir nada de los últimos retoques del retrato que me ha hecho Cassou, pero no puedo resistir a cuatro palabras sobre lo del fondo del nihilismo español. Que no me gusta la palabra. *Nihilismo* nos suena, o mejor, nos sabe a ruso, aunque un ruso diría que el suyo fue *nichevismo;* nihilismo se le llamó al ruso. Pero *nihil* es palabra latina. El nuestro, el español, estaría mejor llamado *nadismo,* de nuestro abismático vocablo: nada. *Nada,* que significando primero cosa nada o nacida, algo, esto es: todo, ha venido a significar, como el francés *rien,* de *rem*=cosa –y como *personne*–, la no cosa, la nonada, la nada. De la plenitud del ser se ha pasado a su vaciamiento.

La vida, que es todo, y que por serlo todo se reduce a nada, es sueño, o acaso sombra de un sueño, y tal vez tiene razón Cassou cuando dice que no merece ser soñada bajo una forma sistemática. ¡Sin duda! El sistema –que es la consistencia– destruye la esencia del sueño y con ello la esencia de su vida. Y, en efecto, los filósofos no han visto la parte que de sí mismos, del ensueño que ellos son, han puesto en su esfuerzo por sistematizar la vida y el mundo y la existencia. No hay más profunda filosofía que la contemplación de cómo se filosofa. La historia de la filosofía es la filosofía perenne.

Tengo, por fin, que agradecer a mi Cassou –¿no le he hecho yo, el retratado, el autor del retrato?– que reconozca que, a fin de cuentas, defendiéndome defiendo a mis lectores, y sobre todo a mis lectores que se defienden de mí. Y así cuando les cuento cómo se hace una novela, o sea, cómo estoy haciendo la novela de mi vida, mi historia, les llevo a que se vayan haciendo su propia novela, la novela que es la vida de cada uno de ellos. Y desgraciados si no tienen novela. Si tu vida, lector, no es una novela, entonces deja estas páginas, no me sigas leyendo. No me sigas leyendo porque te indigestaré y tendrás que vomitarme sin provecho ni para mí ni para ti.

Y ahora paso a retraducir mi relato de cómo se hace una novela. Y como no me es posible reponerlo sin repensarlo, es decir, sin revivirlo, he de verme empujado a comentarlo. Y como quisiera respetar lo más que me sea hacedero al que fui, al de aquel invierno de 1924 a 1925,

en París, cuando le añada un comentario lo pondré en-
corchetado, entre corchetes, así: [   ].

Con esto de los comentarios encorchetados y con los
tres relatos enchufados, unos en otros, que constituyen el
escrito va a parecer éste a algún lector así como esas cajitas de laca japonesas que encierran otra cajita y ésta otra y
luego otra más, cada una cincelada y ordenada como mejor el artista pudo, y al último una final cajita... vacía.
Pero así es el mundo, y la vida. Comentarios de comentarios y otra vez más comentarios. ¿Y la novela? Si por novela entiendes, lector, el argumento, no hay novela. O lo
que es lo mismo, no hay argumento. Dentro de la carne
está el hueso y dentro del hueso el tuétano, pero la novela
humana no tiene tuétano, carece de argumento. Todo son
las cajitas, los ensueños. Y lo verdaderamente novelesco
es cómo se hace una novela.

Cómo se hace una novela

Héteme aquí ante estas blancas páginas –blancas como el negro porvenir: ¡terrible blancura!– buscando retener el tiempo que pasa, fijar el huidero hoy, eternizarme o inmortalizarme en fin, bien que eternidad e inmortalidad no sean una sola y misma cosa. Héteme aquí ante estas páginas blancas, mi porvenir, tratando de derramar mi vida, a fin de continuar viviendo, de darme la vida, de arrancarme a la muerte de cada instante. Trato a la vez, de consolarme de mi destierro, del destierro de mi eternidad, de este destierro al que quiero llamar mi des-cielo.

¡El destierro!, ¡la proscripción! y ¡qué de experiencias íntimas, hasta religiosas, le debo! Fue entonces, allí, en aquella isla de Fuerteventura a la que querré eternamente y desde el fondo de mis entrañas, en aquel asilo de Dios, y después aquí, en París, henchido y desbordante de historia humana, universal, donde he escrito mis sonetos, que alguien ha comparado, por el origen y la intención, a los *Castigos* escritos contra la tiranía de Napoléon el Pequeño por Víctor Hugo en su isla de Guernesey. Pero no me bastan, no estoy en ellos con todo mi yo del destie-

rro, me parecen demasiado poca cosa para eternizarme
en el presente fugitivo, en este espantoso presente histórico ya que la historia es la posibilidad de los espantos.

Recibo a poca gente; paso la mayor parte de mis mañanas solo, en esta jaula cercana a la plaza de los Estados
Unidos. Después del almuerzo me voy a la Rotonda de
Montparnasse, esquina del bulevar Raspail, donde tenemos una pequeña reunión de españoles, jóvenes estu-
diantes la mayoría, y comentamos las raras noticias que
nos llegan de España, de la nuestra y de la de los otros, y
recomenzamos cada día a repetir las mismas cosas, le-
vantando, como aquí se dice, castillos en España. A esta
Rotonda se le sigue llamando acá por algunos la de Trotz-
ki pues parece que allí acudía, cuando desterrado en París, ese caudillo ruso bolchevique.

¡Qué horrible vivir en la expectativa, imaginando cada
día lo que puede ocurrir al siguiente! ¡Y lo que puede no
ocurrir! Me paso horas enteras, solo, tendido sobre el lecho solitario de mi pequeño hotel –*family house*– contemplando el techo de mi cuarto y no el cielo y soñando
en el porvenir de España y en el mío. O deshaciéndolos. Y
no me atrevo a emprender trabajo alguno por no saber si
podré acabarlo en paz. Como no sé si este destierro durará todavía tres días, tres semanas, tres meses o tres años
–iba a añadir tres siglos– no emprendo nada que pueda
durar. Y sin embargo nada dura más que lo que se hace
en el momento y para el momento. ¿He de repetir mi expresión favorita *la eternización de la momentaneidad?* Mi
gusto innato –¡y tan español!– de las antítesis y del conceptismo me arrastraría a hablar de la *momentanización
de la eternidad.* ¡Clavar la rueda del tiempo!

[Hace ya dos años y cerca de medio más que escribí en
París estas líneas y hoy las repaso aquí, en Hendaya, a la

vista de mi España. ¡Dos años y medio más! Cuando cui-
tados españoles que vienen a verme me preguntan refi-
riéndose a la tiranía: «¿Cuánto durará esto?», les respondo: «¡Lo que ustedes quieran!». Y si me dicen: «¡Esto va a
durar todavía mucho, por las trazas!», yo: «¿Cuánto?,
¿cinco años más, veinte? supongamos que veinte; tengo
sesenta y tres, con veinte más, ochenta y tres; pienso vivir noventa; ¡por mucho que dure yo duraré más!». Y en
tanto a la vista tantálica de mi España vasca, viendo salir
y ponerse el sol por las montañas de mi tierra. Sale por
ahí, ahora un poco a la izquierda de la Peña de Aya, las
Tres Coronas y desde aquí, desde mi cuarto, contemplo
en la falda sombrosa de esa montaña la cola de caballo, la
cascada de Uramildea. ¡Con qué ansia lleno a la distancia
mi vista con la frescura de ese torrente! En cuanto pueda
volver a España iré, Tántalo liberado, a chapuzarme en
esas aguas de consuelo.

Y veo ponerse el sol, ahora, a principios de junio, sobre
la estribación del Jaizquibel, encima del fuerte de Guada-
lupe donde estuvo preso el pobre general don Dámaso
Berenguer, el de las incertidumbres. Y al pie del Jaizquibel me tienta a diario la ciudad de Fuenterrabía –oleogra-
fía en la tapa de España– con las ruinas, cubiertas de ye-
dra, del castillo del Emperador Carlos I, el hijo de la Loca
de Castilla y del Hermoso de Borgoña, el primer Habsburgo de España, con quien nos entró –fue la Contra Reforma– la tragedia en que aún vivimos. ¡Pobre príncipe
Don Juan, el exfuturo Don Juan III, con quien se extin-
guió la posibilidad de una dinastía española, castiza de
verdad!

¡La campana de Fuenterrabía! Cuando la oigo se me
remejen las entrañas. Y así como en Fuerteventura y en
París me di a hacer sonetos, aquí, en Hendaya, me ha

dado sobre todo por hacer romances. Y uno de ellos a la
campana de Fuenterrabía, a Fuenterrabía misma campana, que dice:

> Si no has de volverme a España,
> Dios de la única bondad,
> si no has de acostarme en ella,
> ¡hágase tu voluntad!
> Como en el cielo en la tierra,
> en la montaña y la mar,
> Fuenterrabía soñada,
> tu campana oigo sonar.
> Es el llanto del Jaizquibel,
> –sobre él pasa el huracán–
> entraña de mi honda España,
> te siento en mí palpitar.
> Espejo del Bidasoa
> que vas a perderte al mar
> ¡qué de ensueños te me llevas!
> a Dios van a reposar.
> Campana Fuenterrabía,
> lengua de la eternidad,
> me traes la voz redentora
> de Dios, la única bondad.
> ¡Hazme, Señor, tu campana,
> campana de tu verdad,
> y la guerra de este siglo
> me dé en tierra eterna paz!

Y volvamos al relato.]

En estas circunstancias y en tal estado de ánimo me
dio la ocurrencia, hace ya algunos meses, después de haber leído la terrible *Piel de zapa (Peau de chagrin)*, de Balzac, cuyo argumento conocía y que devoré con una angustia creciente, aquí, en París y en el destierro, de

ponerme en una novela que vendría a ser una autobiografía. Pero ¿no son acaso autobiografías todas las novelas
que se eternizan y duran eternizando y haciendo durar a
sus autores y a sus antagonistas?

En estos días de mediados de julio de 1925 –ayer fue el
14 de julio– he leído las eternas cartas de amor que aquel
otro proscripto que fue José Mazzini escribió a Judit Sidoli.
Un proscripto italiano, Alcestes de Ambris, me las ha pres-
tado; no sabe bien el servicio que con ello me ha rendido.
En una de esas cartas, de octubre de 1834, Mazzini, res-
pondiendo a su Judit que le pedía que escribiese una novela, le decía: «Me es imposible escribirla. Sabes muy bien
que no podría separarme de ti, y ponerte en un cuadro
sin que se revelara mi amor... Y desde el momento en que
pongo mi amor cerca de ti, la novela desaparece». Yo también he puesto a mi Concha, a la madre de mis hijos, que
es el símbolo vivo de mi España, de mis ensueños y de mi
porvenir, porque es en esos hijos en quienes he de eternizarme, yo también la he puesto expresamente en uno de
mis últimos sonetos y tácitamente en todos. Y me he
puesto en ellos. Y además, lo repito, ¿no son, en rigor, todas las novelas que nacen vivas, autobiográficas y no es
por esto por lo que se eternizan? Y que no choque mi expresión de nacer vivas, porque: a) se nace y se muere
vivo, b) se nace y se muere muerto, c) se nace vivo para
morir muerto, y d) se nace muerto para morir vivo.

Sí, toda novela, toda obra de ficción, todo poema,
cuando es vivo, es autobiográfico. Todo ser de ficción,
todo personaje poético que crea un autor hace parte del
autor mismo. Y si éste pone en su poema un hombre de
carne y hueso a quien ha conocido, es después de haberlo
hecho suyo, parte de sí mismo. Los grandes historiadores
son también autobiógrafos. Los tiranos que ha descrito

Tácito son él mismo. Por el amor y la admiración que les
ha consagrado –se admira y hasta se quiere aquello a que
se execra y que se combate...–. ¡Ah!, ¡cómo quiso Sarmiento al tirano Rosas! –se los ha apropiado, se los ha hecho él mismo–. Mentira la supuesta impersonalidad u
objetividad de Flaubert. Todos los personajes poéticos de
Flaubert son Flaubert, y más que ningún otro Emma Bo-
vary. Hasta Mr. Homais, que es Flaubert, y si Flaubert se
burla de Mr. Homais es para burlarse de sí mismo, por
compasión, es decir, por amor de sí mismo. ¡Pobre Bouvard! ¡Pobre Pécuchet!

Todas las criaturas son su creador. Y jamás se ha sentido Dios más creador, más padre, que cuando se murió en
Cristo, cuando en él, en su Hijo, gustó la muerte.

He dicho que nosotros, los autores, los poetas, nos po-
nemos, nos creamos, en todos los personajes poéticos
que creamos, hasta cuando hacemos historia, cuando
poetizamos, cuando creamos personas de que pensamos
que existen en carne y hueso fuera de nosotros. ¿Es que
mi Alfonso XIII de Borbón y Habsburgo-Lorena, mi Primo de Rivera, mi Martínez Anido, mi Conde de Roma-
nones, no son otras tantas creaciones mías, partes de mí,
tan mías como mi Augusto Pérez, mi Pachico Zabalbide,
mi Alejandro Gómez y todas las demás criaturas de mis
novelas? Todos los que vivimos principalmente de la lectura y en la lectura, no podemos separar de los personajes
poéticos o novelescos a los históricos. Don Quijote es
para nosotros tan real y efectivo como Cervantes o más
bien éste tanto como aquél. Todo es para nosotros libro,
lectura; podemos hablar del Libro de la Historia, del Libro de la Naturaleza, del Libro del Universo. Somos bíbli-
cos. Y podemos decir que en el principio fue el Libro. O la
Historia. Porque la Historia comienza con el Libro y no

con la Palabra y antes de la Historia, del Libro, no había
conciencia, no había espejo, no había nada. La prehisto-
ria es la inconsciencia, es la nada.

[Dice el Génesis que Dios creó el Hombre a su imagen
y semejanza. Es decir, que le creó espejo para verse en él,
para conocerse, para crearse.]

Mazzini es hoy para mí como Don Quijote; ni más ni
menos. No existe menos que éste y por lo tanto no ha
existido menos que él.

¡Vivir en la historia y vivir la historia! Y un modo de
vivir la historia es contarla, crearla en libros. Tal historiador, poeta por su manera de contar, de crear, de inventar
un suceso que los hombres creían que se había verificado
objetivamente, fuera de sus conciencias, es decir, en la nada,
ha provocado otros sucesos. Bien dicho está que ganar
una batalla es hacer a los propios y a los ajenos, a los amigos y a los enemigos, que se la ha ganado. Hay una leyenda de la realidad que es la sustancia, la íntima realidad de
la realidad misma. La esencia de un individuo y la de un
pueblo es su historia y la historia es lo que se llama la filosofía de la historia, es la reflexión que cada individuo o
cada pueblo hacen de lo que les sucede, de lo que se sucede en ellos. Con sucesos, sucedidos, se constituye hechos, ideas hechas carne. Pero como lo que me propongo
al presente es contar cómo se hace una novela y no filoso-
far o historiar, no debo distraerme ya más y dejo para
otra ocasión el explicar la diferencia que va de suceso a
hecho, de lo que sucede y pasa a lo que se hace y queda.

Se ha dicho de Lenin que en agosto de 1917, un poco
antes de apoderarse del poder, dejó inacabado un folleto,
muy mal escrito, sobre la Revolución y el Estado, porque
creyó más útil y más oportuno experimentar la revolución que escribir sobre ella. Pero ¿es que escribir de la re-

volución no es también hacer experiencias con ella? ¿Es
que Carlos Marx no ha hecho la revolución rusa tanto si
es que no más que Lenin? ¿Es que Rousseau no ha hecho
la Revolución Francesa tanto como Mirabeau, Danton y
Cía? Son cosas que se han dicho miles de veces, pero hay
que repetirlas otros millares para que continúen viviendo ya que la conservación del universo es, según los teó-
logos, una creación continua.

[«Cuando Lenin resuelve un gran problema –ha dicho Radek– no piensa en abstractas categorías históricas, no cavila sobre la renta de la tierra o la plusvalía ni
sobre el absolutismo o el liberalismo; piensa en los hombres vivos, en el aldeano Ssidor de Twer, en el obrero de
las fábricas Putiloff o en el policía de la calle y procura re-
presentarse cómo las decisiones que se tomen obrarán
sobre el aldeano Ssidor o sobre el obrero Onufri.» Lo que
no quiere decir otra cosa sino que Lenin ha sido un historiador, un novelista, un poeta y no un sociólogo o un
ideólogo, un estadista y no un mero político.]

Vivir en la historia y vivir la historia, hacerme en la
historia, en mi España, y hacer mi historia, mi España, y
con ella mi universo y mi eternidad, tal ha sido y sigue
siempre siendo la trágica cuita de mi destierro. La historia es leyenda, ya lo consabemos –es consabido– y esta
leyenda, esta historia me devora y cuando ella acabe me
acabaré yo con ella. Lo que es una tragedia más terrible
que aquella de aquel trágico Valentín de *La piel de zapa*. Y
no sólo mi tragedia sino la de todos los que viven en la
historia, por ella y de ella, la de todos los ciudadanos, es
decir, de todos los hombres –animales políticos o civiles
que diría Aristóteles–, la de todos los que escribimos, la
de todos los que leemos, la de todos los que lean esto. Y
aquí estalla la universalidad, la omnipersonalidad y la to-

dopersonalidad –*omnis* no es *totus*–, no la impersonalidad de este relato. Que no es un ejemplo de *ego-ismo,* sino
de *nos-ismo.*

¡Mi leyenda!, ¡mi novela! Es decir, la novela que de mí,
Miguel de Unamuno, al que llamamos así, hemos hecho
conjuntamente los otros y yo, mis amigos y mis enemigos, y mi yo amigo y mi yo enemigo. Y he aquí por qué no
puedo mirarme un rato al espejo porque al punto se me
van los ojos tras de mis ojos, tras su retrato, y desde que
miro a mi mirada me siento vaciarme de mí mismo, perder mi historia, mi leyenda, mi novela, volver a la inconsciencia, al pasado, a la nada. ¡Como si el porvenir no fuese también nada! Y sin embargo el porvenir es nuestro
todo.

¡Mi novela!, ¡mi leyenda! El Unamuno de mi leyenda,
de mi novela, el que hemos hecho juntos mi yo amigo y
mi yo enemigo y los demás, mis amigos y mis enemigos,
este Unamuno me da vida y muerte, me crea y me destruye, me sostiene y me ahoga. Es mi agonía. ¿Seré como me
creo o como se me cree? Y he aquí cómo estas líneas se
convierten en una confesión ante mi yo desconocido e inconocible; desconocido e inconocible para mí mismo. He
aquí que hago la leyenda en que he de enterrarme. Pero
voy al caso de mi novela.

Porque había imaginado, hace ya unos meses, hacer
una novela en la que quería poner la más íntima experiencia de mi destierro, crearme, eternizarme bajo los
rasgos de desterrado y de proscrito. Y ahora pienso que la
mejor manera de hacer esa novela es contar cómo hay que
hacerla. Es la novela de la novela, la creación de la creación. O Dios de Dios. *Deus de Deo.*

Habría que inventar, primero, un personaje central
que sería, naturalmente, yo mismo. Y a este personaje se

empezaría por darle un nombre. Le llamaría U. Jugo de la
Raza; U. es la inicial de mi apellido; Jugo el primero de mi
abuelo materno y el del viejo caserío de Galdácano, en
Vizcaya, de donde procedía; Larraza es el nombre, vasco
también –como Larra, Larrea, Larrazábal, Larramendi,
Larraburu, Larraga, Larreta... y tantos más–, de mi abuela
paterna. Lo escribo la Raza para hacer un juego de palabras –¡gusto conceptista!–, aunque Larraza signifique pasto. Y Jugo no sé bien qué, pero no lo que en español jugo.

U. Jugo de la Raza se aburre de una manera soberana
–¡y qué aburrimiento el de un soberano!– porque no vive
ya más que en sí mismo, en el pobre yo de bajo la historia,
en el hombre triste que no se ha hecho novela. Y por eso
le gustan las novelas. Le gustan y las busca para vivir en
otro, para ser otro, para eternizarse en otro. Es por lo menos lo que él cree pero en realidad busca las novelas a fin
de descubrirse, a fin de vivir en sí, de ser él mismo. O más
bien a fin de escapar de su yo desconocido e inconocible
hasta para sí mismo.

[Cuando escribí eso del aburrimiento soberano, lo
mismo que las otras veces –son varias–en que lo he escrito, pensaba en nuestro pobre rey Don Alfonso XIII de
Borbón y Habsburgo-Lorena de quien siempre he creído
que se aburre soberanamente, que nació aburrido –¡he-
rencia de siglos dinásticos!– y que todos sus ensueños
imperiales –el último y más terrible el de la cruzada de
Marruecos– son para llenar el vacío que es el aburrimiento, la trágica soledad del trono. Es como su manía de la
velocidad y su horror a lo que llama pesimismo. ¿Qué
vida íntima, profunda, de súbdito de Dios, tendrá ese pobre lirio de milenario tiesto?]

U. Jugo de la Raza, errando por las orillas del Sena, a lo
largo de los muelles, entre los puestos de librería de viejo,

da con una novela que apenas ha comenzado a leerla, antes de comprarla, le gana enormemente, le saca de sí, le introduce en el personaje de la novela –la novela de una confesión autobiográfico romántica–, le identifica con aquel otro, le da una historia, en fin. El mundo grosero de la realidad del siglo desaparece a sus ojos. Cuando por un instante separándolos de las páginas del libro los fija en las aguas del Sena paréceles que esas aguas no corren, que son las de un espejo inmóvil, y aparta de ellas sus ojos horrorizados y los vuelve a las páginas del libro, de la novela, para encontrarse en ellas, para en ellas vivir. Y he aquí que da con un pasaje, pasaje eterno, en que lee estas palabras proféticas: «Cuando el lector llegue al fin de esta dolorosa historia se morirá conmigo».

Entonces Jugo de la Raza sintió que las letras del libro se le borraban ante los ojos, como si se aniquilaran en las aguas del Sena, como si él mismo se aniquilara; sintió ardor en la nuca y frío en todo el cuerpo, le temblaron las piernas y apareciósele en el espíritu el espectro de la angina de pecho de que había estado obsesionado años antes. El libro le tembló en las manos, tuvo que apoyarse en el cajón del muelle, y al cabo, dejando el volumen en el sitio de donde lo tomó, se alejó, a lo largo del río, hacia su casa. Había sentido sobre su frente al soplo del aletazo del Ángel de la Muerte. Llegó a casa, a la casa del pasaje, tendióse sobre la cama, se desvaneció, creyó morir y sufrió la más íntima congoja.

«No, no tocaré más a ese libro, no leeré en él, no lo compraré para terminarlo –se decía–. Sería mi muerte. Es una tontería, lo sé; fue un capricho macabro del autor el meter allí aquellas palabras, pero estuvieron a punto de matarme. Es más fuerte que yo. Y cuando para volver acá he atravesado el puente de Alma –¡el puente del alma!– he

sentido ganas de arrojarme al Sena, al espejo. He tenido
que agarrarme al parapeto. Y me he acordado de otras
tentaciones parecidas, ahora ya viejas, y de aquella fantasía del suicida de nacimiento que imaginé que vivió cerca
de ochenta años queriendo siempre suicidarse y matán-
dose por el pensamiento día a día. ¿Es esto vida? No; no
leeré más de ese libro... ni de ningún otro; no me pasearé
por las orillas del Sena donde se venden libros.»

Pero el pobre Jugo de la Raza no podía vivir sin el libro,
sin aquel libro; su vida, su existencia íntima, su realidad,
su verdadera realidad estaba ya definitiva e irrevocable-
mente unida a la del personaje de la novela. Si continuaba
leyéndolo, viviéndolo, corría riesgo de morirse cuando
se muriese el personaje novelesco, pero si no lo leía ya, si
no vivía ya más el libro, ¿viviría? Y tras esto volvió a pasearse por las orillas del Sena, pasó una vez más ante el
mismo puesto de libros, lanzó una mirada de inmenso
amor y de horror inmenso al volumen fatídico, después
contempló las aguas del Sena y... venció. ¿O fue vencido?
Pasó sin abrir el libro y diciéndose: «¿Cómo seguirá esa
historia?, ¿cómo acabará?». Pero estaba convencido de
que un día no sabría resistir y de que le sería menester tomar el libro y proseguir la lectura aunque tuviese que morirse al acabarla.

Así es como se desarrollaría la novela de mi Jugo de la
Raza, mi novela de Jugo de la Raza. Y entre tanto yo, Miguel de Unamuno, novelesco también, apenas si escribía,
apenas si obraba por miedo de ser devorado por mis ac-
tos. De tiempo en tiempo escribía cartas políticas contra
Don Alfonso XIII y contra los tiranuelos pretorianos de
mi pobre patria, pero estas cartas que hacían historia en
mi España, me devoraban. Y allá, en mi España, mis amigos y mis enemigos decían que no soy un político, que no

tengo temperamento de tal, y menos todavía de revolu-
cionario, que debería consagrarme a escribir poemas y
novelas y dejarme de políticas. ¡Como si hacer política
fuese otra cosa que escribir poemas y como si escribir
poemas no fuese otra manera de hacer política!

Pero lo más terrible es que no escribía gran cosa, que
me hundía en una congojosa inacción de expectativa,
pensando en lo que haría o diría o escribiría si sucediera
esto o lo otro, soñando el porvenir, lo que equivale, lo
tengo dicho, a deshacerlo. Y leía los libros que me caían al
azar a las manos, sin plan ni concierto, para satisfacer ese
terrible vicio de la lectura, el vicio impune de que habla
Valéry Larbaud. Impune. ¡Vamos! ¡Y qué sabroso castigo!
El vicio de la lectura lleva el castigo de muerte continua.

La mayor parte de mis proyectos –y entre ellos el de escribir esto que estoy escribiendo sobre la manera cómo se
hace una novela– quedaban en suspenso. Había publica-
do mis sonetos aquí, en París, y en España se había publi-
cado mi *Teresa,* escrita antes de que estallara el infamante
golpe de Estado del 13 de septiembre de 1923, antes que
hubiese comenzado mi historia del destierro, la historia
de mi destierro. Y he aquí que me era preciso vivir en el
otro sentido, ¡ganarme mi vida escribiendo! Y aun así...
Crítica, el bravo diario de Buenos Aires, me había pedido
una colaboración bien remunerada; no tengo dinero de
sobra, sobre todo viviendo lejos de los míos, pero no lograba poner pluma en papel. Tenía y sigo teniendo en
suspenso mi colaboración a *Caras y Caretas,* semanario
de Buenos Aires. En España no quería ni quiero escribir
en periódico alguno ni en revistas; me rehuso a la humilla-
ción de la censura militar. No puedo sufrir que mis escritos sean censurados por soldadotes analfabetos a los que
degrada y envilece la disciplina castrense y que nada

odian más que la inteligencia. Sé que después de haberme dejado pasar algunos juicios de veras duros y hasta, desde su punto de vista, delictivos, me tacharían una palabra inocente, una nonada para hacerme sentir su poder. ¿Una censura de ordenanza? ¡Jamás!

[Después que he venido de París a Hendaya he adquirido nuevas noticias sobre la incurable necedad de la censura al servicio de la insondable tontería de Primo de Rivera y del miedo cerval a la verdad del desgraciado vesánico Martínez Anido. Con las cosas de la censura cabría escribir un libro que sería de gran regocijo si no fuese de congojoso bochorno. Lo que sobre todo temen más es la ironía, la sonrisa irónica, que les parece desdeñosa. «¡De nosotros no se ríe nadie!» –dicen–. Y quiero contar un caso. Que fue que servía en cierto regimiento un mozo despierto y sagaz, avisado e irónico, de carrera civil y liberal, y de los que llamamos de cuota. El capitán de su compañía le temía y le repugnaba procurando no producirse delante de él, pero una vez se vio llevado a soltar una de esas arengas patrióticas de ordenanza delante de él y de los demás soldados. El pobre capitán no podía apartar sus ojos de los ojos y de la boca del despierto mozo, espiando su gesto, ni ello le dejaba acertar con los lugares comunes de su arenga, hasta que al cabo, azarado y azorado, ya no dueño de sí, se dirigió al soldado diciéndole: «qué, ¿se sonríe usted?» y el mozo: «no, mi capitán, no me sonrío», y entonces el otro: «sí, ¡por dentro!». Y en nuestra España todos los pobres cainitas, madera de cuadrilleros o de corchetes del Santo Oficio de la Inquisición, almas uniformadas, cuando se cruzan con uno de esos a quienes motejan de intelectuales creen leer en sus ojos y en su boca una contenida sonrisa de desdén, creen que el otro se sonríe de ellos por den-

tro. Y ésta es la peor tragedia. Y a esa chusma es a la que
ha azuzado la tiranía.

Como aquí también, en la frontera, he podido enterar-
me de la perversión radical de la policía y de lo que es este
instituto de pinches de verdugos. Pero no quiero quemar-
me más la sangre escribiendo de ello y vuelvo al viejo relato.]

Volvamos, pues, a la novela de Jugo de la Raza, a la novela de su lectura de la novela. Lo que habría de seguir era
que un día el pobre Jugo de la Raza no pudo ya resistir
más, fue vencido por la historia, es decir, por la vida, o
mejor, por la muerte. Al pasar junto al puesto de libros,
en los muelles del Sena, compró el libro, se lo metió al
bolsillo y se puso a correr, a lo largo del río, hacia su casa,
llevándose el libro como se lleva una cosa robada con
miedo de que se la vuelvan a uno a robar. Iba tan de prisa
que se le cortaba el aliento, le faltaba huelgo y veía reapa-
recer el viejo y ya casi extinguido espectro de la angina de
pecho. Tuvo que detenerse y entonces, mirando, a todos
lados, a los que pasaban y mirando sobre todo a las aguas
del Sena, el espejo fluido, abrió el libro y leyó algunas líneas. Pero volvió a cerrarlo al punto. Volvía a encontrar lo
que, años antes, había llamado la disnea cerebral, acaso la
enfermedad X de Mac Kenzie, y hasta creía sentir un cos-
quilleo fatídico a lo largo del brazo izquierdo y entre los
dedos de la mano. En otros momentos se decía: «En llegando a aquel árbol me caeré muerto», y después que lo
había pasado una vocecita, desde el fondo del corazón, le
decía: «acaso estás realmente muerto...». Y así llegó a casa.

Llegó a casa, comió tratando de prolongar la comida
–prolongarla con prisa– subió a su alcoba, se desnudó y
se acostó como para dormir, como para morir. El corazón le latía a rebato. Tendido en la cama, recitó primero

un padrenuestro y luego un avemaría, deteniéndose en: «hágase tu voluntad así en la tierra como en el cielo» y en «Santa María, madre de Dios, ruega por nosotros pecadores ahora y en la hora de nuestra muerte». Lo repitió tres veces, se santiguó y esperó, antes de abrir el libro, a que el corazón se le apaciguara. Sentía que el tiempo le devoraba, que el porvenir de aquella ficción novelesca le tragaba. El porvenir de aquella criatura de ficción con que se había identificado; sentíase hundirse en sí mismo.

Un poco calmado abrió el libro y reanudó su lectura. Se olvidó de sí mismo por completo y entonces sí que pudo decir que se había muerto. Soñaba el otro, o más bien el otro era un sueño que se soñaba en él, una criatura de su soledad infinita. Al fin se despertó con una terrible punzada en el corazón. El personaje del libro acababa de volver a decirle: «Debo repetir a mi lector que se morirá conmigo». Y esta vez el efecto fue espantoso. El trágico lector perdió conocimiento en su lecho de agonía espiritual; dejó de soñar al otro y dejó de soñarse a sí mismo. Y cuando volvió en sí, arrojó el libro, apagó la luz y procuró, después de haberse santiguado de nuevo, dormirse, dejar de soñarse. ¡Imposible! De tiempo en tiempo tenía que levantarse a beber agua; se le ocurrió que bebía el Sena, el espejo. «¿Estaré loco? –se decía–; pero no, porque cuando alguien se pregunta si está loco es que no lo está. Y sin embargo...» Levantóse, prendió fuego en la chimenea y quemó el libro volviendo en seguida a acostarse. Y consiguió al cabo dormirse.

El pasaje que había pensado para mi novela, en el caso de que la hubiera escrito, y en el que habría de mostrar al héroe quemando el libro, me recuerda lo que acabo de leer en la carta que Mazzini, el gran soñador, escribió desde Grenchen a su Judit el 1 de mayo de 1835: «Si bajo a mi corazón encuentro allí cenizas y un hogar apagado. El volcán ha cumplido su incendio y no quedan de él más que el calor y la lava que se agitan en su superficie, y cuando todo se haya helado y las cosas se hayan cumplido, no quedará ya nada –un recuerdo indefinible como de algo que hubiera podido ser y no ha sido, el recuerdo de los medios que deberían haberse empleado para la dicha y que se quedaron perdidos en la inercia de los deseos titánicos rechazados desde el interior sin haber podido tampoco haberse derramado hacia fuera, que han minado al alma de esperanzas, de ansiedades, de votos sin fruto... y después, nada». Mazzini era un desterrado, un desterrado de la eternidad. [Como lo fue antes de él el Dante, el gran proscrito –y el gran desdeñoso; proscritos y desdeñosos también Moisés y San Pablo– y después de él Víctor Hugo. Y todos ellos, Moisés, San Pablo, el Dante, Mazzini, Víctor Hugo y tantos más aprendieron en la proscripción de su patria, o buscándola por el desierto, lo que es el destierro de la eternidad. Y fue desde el destierro; de su Florencia desde donde pudo ver el Dante cómo Italia estaba sierva y era hostería del dolor.

> Ai serva Italia di dolore ostello.
>
> (Purgatorio, VI-76)]

En cuanto a la idea de hacer decir a mi lector de la novela, a mi Jugo de la Raza: «¿estaré loco?», debo confesar que la mayor confianza que pueda tener en mi sano juicio me ha sido dada en los momentos en que observando lo que hacen los otros y lo que no hacen, escuchando lo que dicen y lo que callan, me ha surgido esta fugitiva sospecha de si estaré loco.

Estar loco se dice que es haber perdido la razón. La razón, pero no la verdad, porque hay locos que dicen las

verdades que los demás callan por no ser ni racional ni
razonable decirlas y por eso se dice que están locos. ¿Y
qué es la razón? La razón es aquello en que estamos todos
de acuerdo, todos o por lo menos la mayoría. La verdad es
otra cosa, la razón es social; la verdad, de ordinario, es
completamente individual, personal e incomunicable. La
razón nos une y las verdades nos separan.

[Mas ahora caigo en la cuenta de que acaso es la verdad
la que nos une y son las razones las que nos separan. Y de
que toda esa turbia filosofía sobre la razón, la verdad y la
locura obedecía a un estado de ánimo de que en momentos de mayor serenidad de espíritu me curo. Y aquí, en la
frontera, a la vista de las montañas de mi tierra nativa,
aunque mi pelea se ha exacerbado, se me ha serenado en
el fondo el espíritu. Y ni un momento se me ocurre que
esté loco. Porque si acometo, a riesgo tal vez de vida, a
molinos de viento como si fuesen gigantes es a sabiendas
de que son molinos de viento. Pero como los demás, los
que se tienen por cuerdos, los creen gigantes, hay que de-
sengañarles de ello.]

A las veces, en los instantes en que me creo criatura de
ficción y hago mi novela, en que me represento a mí mismo, delante de mí mismo, me ha ocurrido soñar o bien
que casi todos los demás, sobre todo en mi España, están locos o bien que yo lo estoy y puesto que no pueden
estarlo todos los demás que lo estoy yo. Y oyendo los juicios que emiten sobre mis dichos, mis escritos y mis ac-
tos, pienso: «¿No será acaso que pronuncio otras palabras
que las que me oigo pronunciar o que se me oye pronunciar otras que las que pronuncio?». Y no dejo entonces de
acordarme de la figura de Don Quijote.

[Después de esto me ha ocurrido aquí, en Hendaya,
encontrar con un pobre diablo que se me acercó a salu-

darme, y que me dijo que en España se me tenía por loco. Resultó después que era policía, y él mismo me lo confesó, y que estaba borracho. Que no es precisamente estar loco. Porque Primo de Rivera no se vuelve loco cuando se pone borracho, que es a cada trance, sino que se le exacerba la *tonteritis*, o sea, la inflamación –cotéjese *apendicitis, faringitis, laringitis, otitis, enteritis, flebitis,* etc.– de su tontería congénita y constitucional. Ni su pronunciamiento tuvo nada de quijotesco, nada de locura sagrada. Fue una especulación cazurra acompañada de un manifiesto soez.]

Aquí debo repetir algo que creo haber dicho a propósito de nuestro señor Don Quijote, y es preguntar cuál habría sido su castigo si en vez de morir recobrada la razón, la de todo el mundo, perdiendo así su verdad, la suya, si en vez de morir como era necesario habría vivido algunos años más todavía. Y habría sido que todos los locos que había entonces en España –y debió haber habido muchos, porque acababa de traerse del Perú la enfermedad terrible– habrían acudido a él, solicitando su ayuda y al ver que se la rehusaba, le habrían abrumado de ultrajes y tratado de farsante, de traidor y de renegado. Porque hay una turba de locos que padecen de manía persecutoria, la que se convierte en manía perseguidora, y estos locos se ponen a perseguir a Don Quijote cuando éste no se presta a perseguir a sus supuestos perseguidores. Pero ¿qué es lo que habré hecho yo, Don Quijote mío, para haber llegado a ser así el imán de los locos que se creen perseguidos? ¿Por qué se acorren a mí? ¿Por qué me cubren de alabanzas si al fin han de cubrirme de injurias?

[A este mismo mi Don Quijote le ocurrió que después de haber libertado del poder de los cuadrilleros de la Santa Hermandad a los galeotes a quienes les llevaban pre-

sos, estos galeotes le apedrearon. Y aunque sepa yo que
acaso un día los galeotes han de apedrearme no por eso
cejo en mi empeño de combatir contra el poderío de los
cuadrilleros de la actual Santa Hermandad de mi España.
No puedo tolerar, y aunque se me tome a locura, el que los
verdugos se erijan en jueces y el que el fin de autoridad, que
es la justicia, se ahogue con lo que llaman el principio de
autoridad, y es el principio del poder, o sea, lo que llaman el
orden. Ni puedo tolerar que una acuitada y menguada bur-
guesía por miedo pánico –irreflexivo– al incendio comunista –pesadilla de locos de miedo– entregue su casa y su
hacienda a los bomberos que se las destrozan más aún que
el incendio mismo. Cuando no ocurre lo que ahora en España y es que son los bomberos los que provocan los in-
cendios para vivir de extinguirlos. Pues es sabido que si los
asesinatos en las calles han casi cesado –los que ocurren se
celan– desde la tiranía pretoriana y policiaca es porque los
asesinos están a sueldo del Ministerio de la Gobernación y
empleados en él. Tal es el régimen policiaco.]

Volvamos una vez más a la novela de Jugo de la Raza, a
la novela de su lectura de la novela, a la novela del lector,
[del lector actor, del lector para quien leer es vivir lo que
lee]. Cuando se despertó a la mañana siguiente, en su lecho de agonía espiritual, encontróse encalmado, se le-
vantó y contempló un momento las cenizas del libro fatídico de su vida. Y aquellas cenizas le parecieron, como las
aguas del Sena, un nuevo espejo. Su tormento se renovó:
¿cómo acabaría la historia? Y se fue a los muelles del Sena
a buscar otro ejemplar sabiendo que no lo encontraría, y
por qué no había de encontrarlo. Y sufrió de no poder encontrarlo; sufrió a muerte. Decidió emprender un viaje
por esos mundos de Dios; acaso Éste le olvidara, le dejara
su historia. Y por el momento se fue al Louvre, a contem-

plar la Venus de Milo, a fin de librarse de aquella obse-
sión, pero la Venus de Milo le pareció, como el Sena y
como las cenizas del libro que había quemado, otro espejo. Decidió partir, irse a contemplar las montañas y la
mar, y cosas estáticas y arquitectónicas. Y en tanto se decía: «¿Cómo acabará esa historia?».

Es algo de lo que me decía, cuando imaginaba ese pasaje de mi novela: «¿Cómo acabará esta historia del Directorio y cuál será la suerte de la monarquía española y
de España?». Y devoraba –como sigo devorándolos– los
periódicos, y aguardaba cartas de España. Y escribía
aquellos versos del soneto LXXVIII de mi *De Fuerteventura a París*:

> Que es la Revolución una comedia
> que el señor ha inventado contra el tedio.

Porque, ¿no está hecha de tedio la congoja de la historia?
Y al mismo tiempo tenía el disgusto de mis compatriotas.

Me doy perfecta cuenta de los sentimientos que Mazzini expresaba en una carta desde Berna, dirigida a su Judit, del 2 de marzo de 1835: «Aplastaría con mi desprecio
y mi mentís, si me dejara llevar de mi inclinación personal, a los hombres que hablan mi lengua, pero aplastaría
con mi indignación y mi venganza al extranjero que se
permitiese, delante de mí, adivinarlo». Concibo del todo
su «rabioso despecho» contra los hombres, y sobre
todo contra sus compatriotas, contra los que le compren-
dían y le juzgaban tan mal. ¡Qué grande era la verdad de
aquella «alma desdeñosa», melliza de la del Dante, el otro
gran proscrito, el otro gran desdeñoso!

No hay medio de adivinar, de vaticinar mejor, cómo
acabará todo aquello, allá en mi España; nadie cree en lo

que dice ser lo suyo; los socialistas no creen en el socialis-
mo, ni en la lucha de clases, ni en la ley férrea del salario y
otros simbolismos marxistas; los comunistas no creen en
la comunidad [y menos en la comunión]; los conservado-
res en la conservación; ni los anarquistas en la anarquía;
los pretorianos no creen en la dictadura... ¡Pueblo de por-
dioseros! ¿Y cree alguien en sí mismo? ¿Es que creo en mí
mismo? «¡El pueblo calla!»

Así acaba la tragedia *Boris Godunov,* de Puschkin. Es
que el pueblo no cree en sí mismo. ¡Y Dios se calla! He
aquí el fondo de la tragedia universal: Dios se calla. Y se
calla porque es ateo.

Volvamos a la novela de mi Jugo de la Raza, de mi lector, a la novela de su lectura, de mi novela.

Pensaba hacerle emprender un viaje fuera de París, a la
rebusca del olvido de la historia; habría andado errante,
perseguido por las cenizas del libro que había quemado y
deteniéndose para mirar las aguas de los ríos y hasta las
de la mar. Pensaba hacerle pasearse, transido de angustia
histórica, a lo largo de los canales de Gante y de Brujas, o
en Ginebra, a lo largo del lago Lemán, y pasar, melancóli-
co, aquel puente de Lucerna que pasé yo, hace treinta y
seis años, cuando tenía veinticinco. Habría colocado en
mi novela recuerdos de mis viajes, habría hablado de
Gante y de Ginebra y de Venecia y de Florencia y... a su lle-
gada a una de esas ciudades mi pobre Jugo de la Raza se
habría acercado a un puesto de libros y habría dado con
otro ejemplar del libro fatídico y todo tembloroso lo habría comprado y se lo habría llevado a París proponién-
dose continuar la lectura hasta que su curiosidad se satis-
ficiese, hasta que hubiese podido prever el fin sin llegar a
él, hasta que hubiese podido decir: «Ahora ya se entrevé
cómo va a acabar esto».

[Cuando en París escribía yo esto, hace ya cerca de dos años, no se me podía ocurrir hacerle pasearse a mi Jugo de la Raza más que por Gante y Ginebra y Lucerna y Venecia y Florencia... Hoy le haría pasearse por este idílico país vasco francés que a la dulzura de la dulce Francia une el dulcísimo agrete de mi Vasconia. Iría bordeando las plácidas riberas del humilde Nivelle, entre mansas praderas de esmeralda, junto a Ascain, y al pie del Larrún –otro derivado de *larra,* pasto–, iría restregándose la mirada en la verdura apaciguadora del campo nativo, henchida de silenciosa tradición milenaria, y que trae el olvido de la engañosa historia; iría pasando junto a esos viejos caseríos que se miran en las aguas de un río quieto; iría oyendo el silencio de los abismos humanos.

Lo haría llegar hasta San Juan Pie de Puerto, de donde fue aquel singular doctor Huarte de San Juan, el del *Examen de Ingenios;* a San Juan Pie de Puerto, de donde el Nive baja a San Juan de Luz. Y allí, en la vieja pequeña ciudad navarra, en un tiempo española y hoy francesa, sentado en un banco de piedra en Eyalaberri, embozado en la paz ambiente, oiría el rumor eterno del Nive. E iría a verlo cuando pasa bajo el puente que lleva a la iglesia. Y el campo circunstante le hablaría en vascuence, en infantil eusquera, le hablaría infantilmente, en balbuceo de paz y de confianza. Y como se le hubiera descompuesto el reló, iría a un relojero que al declarar que no sabía vascuence le diría que son las lenguas y las religiones las que separan a los hombres. Como si Cristo y Buda no hubieran dicho a Dios lo mismo, sólo que en dos lenguas diferentes.

Mi Jugo de la Raza vagaría pensativo por aquella calle de la Ciudadela que desde la iglesia sube al castillo, obra de Vauban, y la mayoría de cuyas casas son anteriores a la Revolución, aquellas casas en que han dormido tres siglos. Por aquella calle no pueden subir, gracias a Dios, los autos de los coleccionistas de kilómetros. Y allí, en aquella calle de paz y de retiro, visitaría la *prison des évêques*, la cárcel de los obispos de San Juan, la mazmorra de la Inquisición. Por detrás de ella las viejas murallas que amparan pequeñas huertecillas enjauladas. Y la vieja cárcel está por detrás, envuelta en hiedra.

Luego mi pobre lector trágico iría a contemplar la cascada que forma el Nive y a sentir cómo aquellas aguas, que no son ni un momento las mismas, hacen como un muro. Y un muro que es un espejo. Y espejo histórico. Y seguiría, río abajo, hacia Uhartlize, deteniéndose ante aquella casa en cuyo dintel se lee:

Vivons en paix
Pierre Ezpellet
et Jeanne Iribar
ne. Cons. Annee 8.°
1800

Y pensaría en la vida de paz –¡vivamos en paz!– de Pedro Ezpeleta y Juana Iribar cuando Napoleón estaba llenando al mundo con el fragor de su historia.

Luego mi Jugo de la Raza, ansioso de beber con los ojos la verdura de las montañas de su patria, se iría hasta el puente de Arnegui, en la frontera entre Francia y España. Por allí, por aquel puente insignificante y pobre, pasó en el segundo día de Carnaval de 1875 el pretendiente don Carlos de Borbón y Este, para los carlistas Carlos VII, al acabarse la anterior guerra civil, la que engendró esta otra que nos han traído los pretorianos de Alfonso XIII, guerra carlista también como fue carlista el pronunciamiento de Primo de Ribera. Y a mí se me arrancó de mi casa para lanzarme al confinamiento de Fuerteventura en el día mismo, 21 de febrero de 1924, en que hacía cincuenta años había oído caer junto a mi casa natal de Bilbao una de las primeras bombas que los carlistas lanzaron sobre mi villa. Y allí, en el humilde puente de Arnegui podría haberse percatado Jugo de la Raza de que los aldeanos que habitan aquel contorno nada saben ya de Carlos VII, el que pasó diciendo al volver la cara a España: «¡Volveré, volveré!».

Por allí, por aquel mismo puente o por cerca de él, debió de haber pasado el Carlomagno de la leyenda; por allí se va al Roncesvalles donde resonó la trompa de Rolando –que no era un Orlando furioso–, que hoy calla entre aquellas encañadas de sombra, de silencio y de paz. Y Jugo de la Raza uniría en su imaginación, en esa nuestra sagrada imaginación que funde siglos y vastedades de tierra, que hace de los tiempos eternidad y de los campos infinitud, uniría a Carlos VII y a Carlomagno. Y con ellos al pobre Alfonso XIII y al primer Habsburgo de España, a Carlos I el Emperador, V de Alemania, recordando cuando él, Jugo, visitó Yuste y a falta de otro espejo de aguas, contempló el estanque donde se dice que el Emperador, desde un balcón, pescaba tencas. Y entre Carlos VII el Pretendiente y Carlomagno, Alfonso XIII y Carlos I, se le presentaría la pálida sombra enigmática del príncipe Don Juan, muerto de tisis en Salamanca antes de haber podido subir al trono, el exfuturo Don Juan III, hijo de los Reyes Católicos Fernando e Isabel. Y Jugo de la Raza, pensando en todo esto, camino del puente de Arnegui a San Juan Pie de Puerto, se diría: «¿Y cómo va a acabar todo esto?».]

Pero interrumpo esta novela para volver a la otra. Devoro aquí las noticias que me llegan de mi España, sobre todo las concernientes a la campaña de Marruecos, preguntándome si el resultado de ésta me permitirá volver a mi patria, hacer allí mi historia y la suya; ir a morirme allí. Morirme allí y ser enterrado en el desierto...

A todo esto las gentes de aquí me preguntan si es que puedo volver a mi España, si hay alguna ley o disposición del poder público que me impida la vuelta, y me es difícil explicarles, sobre todo a extranjeros, por qué no puedo ni debo volver mientras haya Directorio, mientras el general Martínez Anido esté en el poder, porque no podría callarme ni dejar de acusarles, y si vuelvo a España y acuso y grito en las calles y las plazas la verdad, mi verdad, entonces mi libertad y hasta mi vida estarían en peligro y si las perdiera no harían nada los que se dicen mis amigos y amigos de la libertad y de la vida. Algunos, al explicarles mi situación, se sonríen y dicen: «¡Ah, sí, una cuestión de dignidad!». Y leo bajo su sonrisa que se dicen: «Se cuida de su papel...».

¿Y no tendrán algo de razón? ¿No estaré acaso a punto de sacrificar mi yo íntimo, divino, el que soy en Dios, el que debo ser, al otro, al yo histórico, al que se mueve en su historia y con su historia? ¿Por qué obstinarme en no volver a entrar en España? ¿No estoy en vena de hacerme mi leyenda, la que me entierra, además de la que los otros, amigos y enemigos, me hacen? Es que si no me hago mi leyenda me muero del todo. Y si me la hago, también.

Héteme acaso haciendo mi leyenda, mi novela, y haciendo la de ellos, la del rey, la de Primo de Rivera, la de Martínez Anido, criaturas de mi espíritu, entes de ficción. ¿Es que miento cuando les atribuyo ciertas intenciones y ciertos sentimientos? ¿Existen como les describo? ¿Es que siquiera existen? ¿Existen, sea como fuere, fuera de mí? En tanto que criaturas mías son criaturas de mi amor aunque se revista de odio. He dicho que Sarmiento admiraba y quería al tirano Rosas; yo no diré que admiro a nuestro rey, pero que le quiero sí, porque es mío, porque le he hecho yo. Le querría fuera de España, pero le quiero. Y acaso quiero a ese mentecato de Primo de Rivera, que se ha arrepentido de lo que hizo conmigo, como en el fondo está arrepentido de lo que hizo con España. Y por el pobre epiléptico Martínez Anido que, en uno de sus ataques, espumarajeándole la boca y todo tembloroso, pedía mi cabeza, siento una compasión que es ternura porque presumo que nada desea más que mi perdón, sobre todo si sospecha que rezo a diario: «perdónanos nuestras deudas así como nosotros perdonamos a nuestros deudores». Pero, ¡ah!, ¡hay el papel! ¡Vuelvo a la escena! ¡A la comedia!

[Y bien, ¡no! Cuando escribí esto me dejé llevar de un momento de desaliento. Yo puedo perdonarles lo que conmigo han hecho, pero lo que han hecho y lo que siguen haciendo con mi pobre patria, de eso no soy yo quien puede perdonarles. Y no se trata de representar un papel. Y en cuanto a que el botarate Primo de Rivera esté ya arrepentido de lo que hizo, puede muy bien ser, pero lo que él llama su honor no le permite confesarlo. Ese terrible honor caballeresco que para siempre quedó expresado en aquella cuarteta de *Las mocedades del Cid,* de Guillén de Castro, en que se dice:

> Procure siempre acertarla
> el honrado y principal,
> pero si la acierta mal
> defenderla y no enmendarla.

Lo que no quiere decir ni que Primo de Rivera sea honrado ni principal, ni menos que al pronunciarse en el golpe de Estado procurara acertarlo.]

Judit Sidoli, escribiendo a su José Mazzini, le hablaba de «sentimientos que se convierten en necesidades», de «trabajo por necesidad material de obra, por vanidad», y el gran proscrito se revolvía contra ese juicio. Poco después, en otra carta –de Grenchen, y del 14 de mayo de 1835– le escribía: «Hay horas, horas solemnes, horas que me despiertan sobre diez años, en que *nos veo;* veo la vida, veo mi corazón y el de los otros, pero en seguida... vuelvo a las ilusiones de la poesía». La poesía de Mazzini era la historia, su historia, la de Italia, que era su madre y su hija.

¡Hipócrita! Porque yo que soy, de profesión, un ganapán helenista –es una cátedra de griego la que el Directorio hizo la comedia de quitarme reservándomela– sé que hipócrita significa actor. ¿Hipócrita? ¡No! Mi papel es mi verdad y debo vivir mi verdad, que es mi vida.

Ahora hago el papel de proscrito. Hasta el descuidado desaliño de mi persona, hasta mi terquedad en no cambiar de traje, en no hacérmelo nuevo, dependen en parte –con ayuda de cierta inclinación a la avaricia que me ha acompañado siempre y que cuando estoy solo, lejos de mi familia, no halla contrapeso– dependen del papel que represento. Cuando mi mujer vino a verme, con mis tres hijas, en febrero de 1924, se ocupó en mi ropa blanca, renovó mis vestidos, me proveyó de calcetines nuevos. Ahora están ya todos agujereados, deshechos, acaso para que pueda decirme lo que se dijo Don Quijote, mi Don Quijote, cuando vio que las mallas de sus medias se le habían roto, y fue: «¡Oh pobreza!, ¡pobreza! », con lo que sigue y comenté tan apasionadamente en mi *Vida de Don Quijote y Sancho.*

¿Es que represento una comedia, hasta para los míos? ¡Pero no!, es que mi vida y mi verdad son mi papel. Cuan-

do se me desterró sin que se hubiera dicho –y sigo igno-
rándolo– la causa o siquiera el pretexto de mi destierro
pedí a los míos, a mi familia, que ninguno de ellos me
acompañara, que me dejase partir solo. Tenía necesidad
de soledad y además sabía que el verdadero castigo que
aquellos tiranuelos cuarteleros me querían infligir eran
obligarme a gastar mi dinero, castigarme en mis modes-
tos bienes y de mis hijos, sabía que aquel destierro era
una manera de confiscación y decidí restringir lo más posible mis gastos y hasta no pagarlos, que es lo que hice.
Porque se podía confinarme en una isla desértica, pero
no a mis expensas.

Pedí que se me dejara solo, y comprendiéndome y que-
riéndome de veras –eran los míos al fin y yo de ellos–, de-
járonme solo. Y entonces, al final de mi confinamiento en
la isla, después de que mi hijo mayor hubo venido, con su
mujer, a juntárseme, presentóseme una dama –a la que
acompañaba, para guardarla acaso, su hija– que me había puesto casi fuera de mí con su persecución epistolar.
Acaso quería darme a entender que llegaba a hacer conmigo lo que los míos, mi mujer y mis hijos no habían hecho. Esa dama es mujer de letras y mi mujer, aunque es-
criba bien, no lo es. ¿Pero es que esa pobre mujer de
letras, preocupada de su nombre y queriendo acaso unir-
lo al mío, me quiere más que mi Concha, la madre de mis
ocho hijos y mi verdadera madre? Mi verdadera madre,
sí. En un momento de suprema, de abismática congoja,
cuando me vio en las garras del Ángel de la Nada, llorar
con un llanto sobrehumano, me gritó desde el fondo de
sus entrañas maternales, sobre humanas, divinas, arro-
jándose en mis brazos: «¡hijo mío!». Entonces descubrí
todo lo que Dios hizo para mí en esta mujer, la madre de
mis hijos, mi virgen madre, que no tiene otra novela que

mi novela, ella, mi espejo de santa inconciencia divina, de eternidad. Es por lo que me dejó solo en mi isla mientras que la otra, la mujer de letras, la de su novela y no la mía, fue a buscar a mi lado emociones y hasta películas de cine.

Pero la pobre mujer de letras buscaba lo que busco, lo que busca todo escritor, todo historiador, todo novelista, todo político, todo poeta: vivir en la duradera y permanente historia, no morir. En estos días he leído a Proust, prototipo de escritores y de solitarios y ¡qué tragedia la de su soledad! Lo que le acongoja, lo que le permite sondar los abismos de la tragedia humana es su sentimiento de la muerte, pero no de la muerte de cada instante, es que se siente morir momento a momento, que diseca el cadáver de su alma, y ¡con qué minuciosidad! ¡A la rebusca del tiempo perdido! Siempre se pierde el tiempo. Lo que se llama ganar tiempo es perderlo. El tiempo: he aquí la tragedia.

«Conozco esos dolores de artistas tratados por artistas; son la sombra del dolor y no su cuerpo», escribía Mazzini a su Judit el 2 de marzo de 1835. Y Mazzini era un artista; ni más ni menos que un artista. Un poeta, y como político un poeta, nada más que un poeta. Sombra de dolor y no cuerpo. Pero ahí está el fondo de la tragedia novelesca, de la novela trágica de la historia: el dolor es sombra y no cuerpo; el dolor más doloroso, el que nos arranca gritos y lágrimas de Dios es sombra del tedio; el tiempo no es corporal. Kant decía que es una forma *a priori* de la sensibilidad. ¡Qué sueño el de la vida!... ¿Sin despertar?

[Esto de: ¿sin despertar? lo añado ahora al re-escribir lo que escribí hace dos años. Y ahora, en estos días mismos de principios de junio de 1927, cuando la tiranía pretoriana española se ensoece más y el rufián que la representa vomita, casi a diario, sobre el regazo de España las heces de sus borracheras, recibo un número de *La Gaceta Literaria* de Madrid que consagran a don Luis de Góngora y Argote y al gongorismo los jóvenes culteranos y cultos de la castrada intelectualidad española. Y leo ese número aquí, en mis montañas, que Góngora llamó «del Pirineo la ceniza verde» *(Soledades,* II, 759) y veo que esos jóvenes «mucho Océano y pocas aguas prenden». Y el océano sin aguas es acaso la poesía pura o culterana. Pero, en fin, «voces de sangre y sangre son del alma» *(Soledades,* II, 119) estas mis memorias, este mi relato de cómo se hace una novela.

Y ved cómo yo, que execro del gongorismo, que no encuentro poesía, esto es creación, o sea acción, donde no hay pasión, donde no hay cuerpo y carne de dolor humano, donde no hay lágrimas de sangre, me dejo ganar de lo más terrible, de lo más antipoético del gongorismo que es la erudición. «No es sordo el mar; la erudición engaña» *(Soledades,* II, 172) escribió, no pensó, Góngora, y ahí se pinta. Era un erudito, un catedrático de poesía, aquél clérigo cordobés... ¡maldito oficio!

Y a todo esto me ha traído lo de los dolores de artistas de Mazzini combinado con el homenaje de los jóvenes culteranos de España a Góngora. Pero Mazzini, el de ¡Dios y el Pueblo!, era un patriota, era un ciudadano, era un hombre civil, ¿lo son esos jóvenes culteranos? Y ahora me percato de nuestro grande error de haber puesto la cultura sobre la civilización o mejor sobre la civilidad. ¡No, no, ante todo y sobre todo civilidad!]

Y he aquí que por última vez volvemos a la historia de nuestro Jugo de la Raza.

El cual, así que yo le haría volver a París trayéndose el libro fatídico, se propondría el terrible problema de o acabar

de leer la novela que se había convertido en su vida y morir
en acabándola, o renunciar a leerla y vivir, vivir, y por con-
siguiente morirse también. Una u otra muerte; en la historia o fuera de la historia. Y yo le habría hecho decir estas
cosas en un monólogo que es una manera de darse vida:

«Pero esto no es más que una locura... El autor de esta
novela se está burlando de mí... ¿O soy yo quien se está
burlando de mí mismo? ¿Y por qué he de morirme cuando acabe de leer este libro y el personaje autobiográfico se
muera? ¿Por qué no he de sobrevivirme a mí mismo? Sobrevivirme y examinar mi cadáver. Voy a continuar leyendo un poco hasta que al pobre diablo no le quede más
que un poco de vida, y entonces, cuando haya previsto el
fin viviré pensando que le hago vivir. Cuando don Juan
Valera, ya viejo, se quedó ciego, se negó a que le opera-
sen, y decía: "Si se me opera, pueden dejarme ciego defi-
nitivamente, para siempre sin esperanza de recobrar la
vista mientras que si no me dejo operar podré vivir siempre con la esperanza de que una operación me curaría".
No; no voy a continuar leyendo; voy a guardar el libro al
alcance de la mano, a la cabecera de mi cama, mientras
me duerma y pensaré que podría leerlo si quisiera, pero
sin leerlo. ¿Podré vivir así? De todos modos he de morirme, pues que todo el mundo se muere... [La expresión
popular española es que todo dios se muere...]»

Y en tanto Jugo de la Raza habría recomenzado a leer
el libro sin terminarlo, leyéndolo muy lentamente, muy
lentamente, sílaba a sílaba, deletreándolo, deteniéndose
cada vez una línea más adelante que en la precedente lectura y para recomenzarla de nuevo. Que es como avanzar
cien pasos de tortuga y retroceder noventa y nueve, avanzar de nuevo y volver a retroceder en igual proporción y
siempre con el espanto del último paso.

Estas palabras que habría puesto en la boca de mi Jugo de la Raza, a saber: que todo el mundo se muere [o en español popular, que todo dios se muere] son una de las más grandes vulgaridades que cabe decir, el más común de todos los lugares comunes, y por lo tanto la más paradójica de las paradojas. Cuando estudiábamos lógica el ejemplo de silogismo que se nos presentaba era: «Todos los hombres son mortales; Pedro es hombre, luego Pedro es mortal». Y había este antisilogismo, el ilógico: «Cristo es inmortal; Cristo es hombre, luego todo hombre es inmortal».

[Este antisilogismo cuya premisa mayor es un término individual, no universal ni particular, pero que alcanza la máxima universalidad, pues si Cristo resucitó puede resucitar cualquier hombre, o como se diría en español popular, puede resucitar todo cristo, ese anti-silogismo está en la base de lo que he llamado el sentimiento trágico de la vida y hace la esencia de la agonía del cristianismo. Todo lo cual constituye la divina tragedia.

¡La Divina Tragedia! Y no como el Dante, el creyente medieval, el proscrito gibelino, llamó a la suya: Divina Comedia. La del Dante era comedia, y no tragedia, porque había en ella esperanza. En el canto vigésimo del *Paradiso* hay un terceto que nos muestra la luz que brilla sobre esa comedia. En donde dice que el reino de los cielos padece fuerza –según la sentencia evangélica– de cálido amor y de viva esperanza que vence a la divina voluntad:

> Regnum coelorum violenza pate
> da caldo amore, e da viva speranza
> che vince la divina volontate.

Y esto es más que poesía pura o que erudición culterana.

¡La viva esperanza vence a la divina voluntad! ¡Creer
en esto sí que es fe y fe poética! El que espere firmemente,
lleno de fe en su esperanza, no morirse, ¡no se morirá...!
Y en todo caso los condenados del Dante viven en la historia y así, su condenación no es trágica, no es de divina
tragedia, sino cómica. Sobre ellos, y a pesar de su conde-
na, se sonríe Dios...]

¡Una vulgaridad! Y, sin embargo, el pasaje más trágico
de la trágica correspondencia de Mazzini es aquel, fecha-
do en 30 de junio de 1835, en que dice: «Todo el mundo se
muere: Romagnosi se ha muerto, se ha muerto Pecchio, y
Vitorelli, a quien creía muerto hace tiempo, acaba de morirse». Y acaso Mazzini se dijo un día: «Yo, que me creía
muerto, voy a morirme». Como Proust.

¿Qué voy a hacer de mi Jugo de la Raza? Como esto que
escribo, lector, es una novela verdadera, un poema verdadero, una creación y consiste en decir cómo se hace y no
cómo se cuenta una novela, una vida histórica, no tengo
por qué satisfacer tu interés folletinesco y frívolo. Todo
lector que leyendo una novela se preocupa de saber cómo
acabarán los personajes de ella sin preocuparse de saber
cómo acabará él, no merece que se satisfaga su curiosidad.

En cuanto a mis dolores, acaso incomunicables, digo
lo que Mazzini el 15 de julio de 1835 escribía desde Grenchen a su Judit: «Hoy debo decirte, para que no digas
ya que mis dolores pertenecen a la poesía como tú la lla-
mas, que son tales realmente desde hace algún tiempo...». Y
en otra carta, del 2 de junio del mismo año: «A todo lo que
les es extraño le han llamado poesía; han llamado loco al
poeta hasta volverle de veras loco; volvieron loco al Tas-
so, cometieron el suicidio de Chatterton y de otros; han
llegado hasta ensañarse con los muertos, Byron, Foscolo

y otros, porque no siguieron sus caminos. ¡Caiga el desprecio sobre ellos! Sufriré, pero no quiero renegar de mi alma; no quiero hacerme malo para complacerles y me haría malo, muy malo si se me arrancara lo que llaman poesía, puesto que, a fuerza de haber prostituido el nombre de poesía con la *hipocresía,* se ha llegado a dudar de todo. Pero para mí, que veo y llamo a las cosas a mi manera, la poesía es la virtud, es el amor, la piedad, el afecto, el amor de la patria, el infortunio inmerecido, eres tú, es tu amor de madre, es todo lo que hay de sagrado en la tierra...». No puedo continuar escuchando a Mazzini. Al leer eso, el corazón del lector oye caer del cielo negro, de por encima de las nubes amontonadas en tormenta, los gritos de un águila herida en su vuelo cuando se bañaba en la luz del sol.

¡Poesía! ¡Divina poesía! ¡Consuelo que es toda la vida! Sí, la poesía es todo. Y es también la política. El otro gran proscrito, el más grande sin duda de todos los ciudadanos proscritos, el gibelino Dante, fue y es y sigue siendo un muy alto y muy profundo, un soberano poeta, y un político y un creyente. Política, religión y poesía fueron en él y para él una sola cosa, una íntima trinidad. Su ciudadanía, su fe y su fantasía le hicieron eterno.

[Y ahora, en el número de la *Gaceta Literaria* en que los jóvenes culteranos de España rinden un homenaje a Góngora y que acabo de recibir y leer, uno de esos jóvenes, Benjamín Jarnés, en un articulito que se titula culteranamente «Oro trillado y néctar exprimido», nos dice que «Góngora no apela al fuego fatuo de la azulada fantasía, ni a la llama oscilante de la pasión, sino a la perenne luz de la tranquila inteligencia». ¿Y a esto le llaman poesía esos intelectuales? ¿Poesía sin fuego de fantasía ni lla-

ma de pasión? ¡Pues que se alimenten del pan hecho con
ese oro trillado! Y luego añade que Góngora, no tanto se
propuso repetir un cuento bello cuanto inventar un bello
idioma. Pero, ¿es que hay idioma sin cuento ni belleza de
idioma sin belleza de cuento?

Todo ese homenaje a Góngora, por las circunstancias
en que se ha rendido, por el estado actual de mi pobre patria, me parece un tácito homenaje de servidumbre a la tiranía, un acto servil y en algunos, no en todos, ¡claro!, un
acto de pordiosería. Y toda esa poesía que celebran no es
más que mentira. ¡Mentira, mentira, mentira...! El mismo
Góngora era un mentiroso. Oíd cómo empieza sus *Soledades* el que dijo que «la erudición engaña». Así:

> Era del año la estación florida
> en que el mentido robador de Europa...

¡El mentido! ¿El mentido? ¿Por qué se creía obligado a de-
cirnos que el robo de Europa por Júpiter convertido en toro
es una mentira? ¿Por qué el erudito culterano se creía obligado a darnos a entender que eran mentiras sus ficciones?
Mentiras y no ficciones. Y es que él, el artista culterano, que
era clérigo, sacerdote de la Iglesia Católica Apostólica Romana creía en el Cristo a quien rendía culto público. Es que
al consagrar en la sagrada misa, no ejercía de culterano
también. Me quedo con la fantasía y la pasión del Dante.]

Existen desdichados que me aconsejan dejar la política. Lo que ellos con un gesto de fingido desdén, que no es
más que miedo, miedo de eunucos o de impotentes o de
muertos, llaman política y me aseguran que debería consagrarme a mis cátedras, a mis estudios, a mis novelas, a
mis poemas, a mi vida. No quieren saber que mis cátedras, mis estudios, mis novelas, mis poemas son política.

Que hoy, en mi patria, se trata de luchar por la libertad de la verdad, que es la suprema justicia, por libertar la verdad de la peor de las dictaduras, de la que no dicta nada, de la peor de las tiranías, la de la estupidez y la impotencia, de la fuerza pura y sin dirección. Mazzini, el hijo predilecto del Dante, hizo de su vida un poema, una novela mucho más poética que las de Manzoni, D'Azeglio, Grossi o Guerrazzi. Y la mayor parte y la mejor de la poesía de Lamartine y de Hugo vino de que eran tan poetas como eran políticos. ¿Y los poetas que no han hecho jamás política? Habría que verlo de cerca y, en todo caso,

non raggioniam di lor, ma guarda e passa.

(Infierno, III-51).

Y hay otros, los más viles, los intelectuales por antonomasia, los técnicos, los sabios, los filósofos. El 28 de junio de 1835, Mazzini escribía a su Judit: «En cuanto a mí, lo dejo todo y vuelvo a entrar en mi individualidad, henchido de amargura por todo lo que más quiero, de disgusto hacia los hombres, de desprecio para con aquellos que recogen la cobardía en los despojos de la filosofía, lleno de altanería frente a todos, pero de dolor y de indignación frente a mí mismo, y al presente y al porvenir. No volveré a levantar las manos fuera del fango de las doctrinas. ¡Que la maldición de mi patria, de la que ha de surgir en el porvenir, caiga sobre ellos!».

¡Así sea! Así sea digo yo de los sabios, de los filósofos que se alimentan en España y de España, de los que no quieren gritos, de los que quieren que se reciba sonriendo los escupitajos de los viles, de los que más que viles, de los que se preguntan qué es lo que se va a hacer de la libertad. ¿Ellos? Ellos... venderla. ¡Prostitutos!

[Desde que escribí estas líneas, hace ya dos años, no he tenido ¡desgracia de Dios! sino motivos para corroborarme en el sentimiento que me las dictó. La degradación, la degeneración de los intelectuales –llamémoslos así– de España ha seguido. Sométense a la censura y aguantan en silencio las notas oficiosas con que Primo de Rivera está insultando casi a diario a la dignidad de la conciencia civil y nacional de España. Y siguen disertando de mandangas.]

Voy a volver todavía, después de la última vez, después que dije que no volvería a ello, a mi Jugo de la Raza. Me preguntaba si consumido por su fatídica ansiedad, teniendo siempre ante los ojos y al alcance de la mano el agorero libro y no atreviéndose a abrirlo y a continuar en él la lectura para prolongar así la agonía que era su vida, me preguntaba si no le haría sufrir un ataque de hemiplejia o cualquier otro accidente de igual género. Si no le haría perder la voluntad y la memoria o en todo caso el apetito de vivir, de suerte que olvidara el libro, la novela, su propia vida y se olvidara de sí mismo. Otro modo de morir y antes de tiempo. Si es que hay un tiempo para morirse y se pueda morir fuera de él.

Esta solución me ha sido sugerida por los últimos retratos que he visto del pobre Francos Rodríguez, periodista, antiguo republicano y después ministro de don Alfonso. Está hemipléjico. En uno de esos retratos aparece fotografiado al salir de Palacio, en compañía de Horacio Echevarrieta, después de haber visto al rey para invitarle a poner la primera piedra de la Casa de la Prensa, de cuya asociación es Francos presidente. Otro lo representa durante la ceremonia a que asistía el rey a su lado. Su rostro refleja el espanto vaciado en carne. Y me he acordado de aquel otro pobre don Gumersindo Azcárate, republicano también, a quien ya inválido y balbuciente se le transportaba a Palacio como un cadáver vivo. Y en la ceremonia de la primera piedra de la Casa de la Prensa, Primo de Rivera hizo el elogio de Pi y Margall, consecuente republicano de toda su vida, que murió en el pleno uso de sus facultades de ciudadano, que se murió cuando estaba vivo.

Pensando en esta solución que podría haber dado a la novela de mi Jugo de la Raza, si en lugar de hacerse ensayara contarla, he evocado a mi mujer y a mis hijos y he pensado que no he de morirme huérfano, que serán ellos, mis hijos, mis padres, y ellas, mis hijas, mis madres. Y si un día el espanto del porvenir se vacía en la carne de mi cara, si pierdo la voluntad y la memoria, no sufrirán ellos, mis hijos y mis hijas, mis padres y mis madres, que los otros me rindan el menor homenaje y ni que me perdonen vengativamente, no sufrirán que ese trágico botarate, que ese monstruo de frivolidad que escribió un día que me querría exento de pasión –es decir, peor que muerto– haga mi elogio. Y si esto es comedia, es, como la del Dante, divina comedia.

[Al releer, volviendo a escribirlo, esto, me doy cuenta, como lector de mí mismo, del deplorable efecto que ha de hacer eso de que no quiero que me perdonen. Es algo de una soberbia luzbelina y casi satánica, es algo que no se compadece con el «perdónanos nuestras deudas así como nosotros perdonamos a nuestros deudores». Porque si perdonamos a nuestros deudores, ¿por qué no han de perdonarnos aquellos a quienes debemos? Y que en el fragor de la pelea les he ofendido es innegable. Pero me ha envenenado el pan y el vino del alma el ver que imponen castigos injustos, inmerecidos, no más que en vista del indulto. Lo más repugnante de lo que llaman la regia prerrogativa de indulto es que más de una vez –de alguna tengo experiencia inmediata– el poder regio ha violenta-

do a los tribunales de justicia, ha ejercido sobre ellos co-
hecho, para que condenaran injustamente al solo fin de
poder luego infligir un rencoroso indulto. A lo que también obedece la absurda gravedad de la pena con que se
agrava los supuestos delitos de injuria al rey, de lesa ma-
jestad.]

Presumo que algún lector, al leer esta confesión cínica
y a la que acaso repute de impúdica, esta confesión a lo
Juan Jacobo, se revuelva contra mi doctrina de la divina
comedia, o mejor de la divina tragedia y se indigne diciendo que no hago sino representar un papel, que no
comprendo el patriotismo, que no ha sido seria la comedia de mi vida. Pero a este lector indignado lo que le in-
digna es que le muestro que él es, a su vez, un personaje
cómico, novelesco y, nada menos, un personaje que quiero poner en medio del sueño de su vida. Que haga del
sueño, de su sueño, vida y se habrá salvado. Y como no
hay nada más que comedia y novela, que piense que lo
que le parece realidad extra-escénica es comedia de comedia, novela de novela, que el noúmeno inventado por
Kant es lo de más fenomenal que puede darse y la sustancia lo que hay de más formal. El fondo de una cosa es su
superficie.

Y ahora, ¿para qué acabar la novela de Jugo? Esta novela y por lo demás todas las que se hacen y no que se contenta uno con contarlas, en rigor, no acaban. Lo acabado,
lo perfecto, es la muerte, y la vida no puede morirse. El
lector que busque novelas acabadas no merece ser mi lector; él está ya acabado antes de haberme leído.

El lector aficionado a muertes extrañas, el sádico a la
busca de eyaculaciones de la sensibilidad, el que leyendo
La piel de zapa se siente desfallecer de espasmo voluptuo-
so cuando Rafael llama a Paulina: «Paulina, ¡ven!... Pauli-

na» –y más adelante: «Te quiero, te adoro, te deseo...»– y la ve rodar sobre el canapé medio desnuda, y la desea en su agonía, en su agonía que es su deseo mismo, a través de los sones estrangulados de su estertor agónico y que muerde a Paulina en el seno y que ella muere agarrada a él, ese lector querría que yo le diese de parecida manera el fin de la agonía de mi protagonista, pero si no ha sentido esa agonía en sí mismo, ¿para qué he de extenderme más? Además, hay necesidades a que no quiero plegarme. ¡Que se las arregle solo, como pueda, solo y solitario!

A despecho de lo cual algún lector volverá a preguntarme: «Y bien, ¿cómo acaba este hombre?, ¿cómo le devora la historia?». ¿Y cómo acabarás tú, lector? Si no eres hombre, hombre como yo, es decir, comediante y autor de ti mismo, entonces no debes leer por miedo de olvidarte a ti mismo.

Cuéntase de un actor que recogía grandes aplausos cada vez que se suicidaba hipócritamente en escena y que una, la sola y última, en que lo hizo teatralmente, pero verazmente, es decir, que no pudo ya volver a reanudar representación alguna, que se suicidó de veras, lo que se dice de veras, entonces fue silbado. Y habría sido más trágico aún si hubiera recogido risas o sonrisas. ¡La risa!, ¡la risa!, la abismática pasión trágica de Nuestro Señor Don Quijote. Y la de Cristo. Hacer reír con una agonía. «Si eres el rey de los judíos, sálvate a ti mismo» (Luc. XXIII, 37).

«Dios no es capaz de ironía, y el amor es una cosa demasiado santa, es demasiado la cosa más pura de nuestra naturaleza para que no nos venga de Él. Así, pues, o negar a Dios, lo que es absurdo, o creer en la inmortalidad.» Así escribía desde Londres a su madre –¡a su madre!– el agónico Mazzini –¡maravilloso agonista!– el 26 de junio de 1839, treinta y tres años antes de su definitiva muerte terrestre. ¿Y si la historia no fuese más que la risa de Dios? ¿Cada revolución una de sus carcajadas? Carcajadas que resuenan como truenos mientras los divinos ojos lagrimean de risa.

En todo caso y por lo demás no quiero morirme no más que para dar gusto a ciertos lectores inciertos. Y tú, lector, que has llegado hasta aquí, ¿es que vives?

Continuación

Así acababa el relato de cómo se hace una novela que apareció en francés, en el número del 15 de mayo de 1926 del *Mercure de France*, relato escrito hace ya cerca de dos años. Y después ha continuado mi novela, historia, comedia, tragedia o como se quiera, y ha continuado la novela, historia, comedia o tragedia de mi España, y la de toda Europa y la de la Humanidad entera. Y sobre la congoja del posible acabamiento de mi novela, sobre y bajo ella, sigue acongojándome la congoja del posible acabamiento de la novela de la Humanidad. En lo que se incluye, como episodio, eso que llaman el ocaso del Occidente y el fin de nuestra civilización.

¿He de recordar una vez más el fin de la oda de Carducci «Sobre el monte Mario»? Cuando nos describe lo que «hasta que sobre el Ecuador recogida, a las llamadas del calor que huye, la extenuada prole no tenga más que una sola mujer, un solo hombre, que erguidos en medio de ruinas de montes, entre muertos bosques, lívidos, con los ojos vítreos, te vean sobre el inmenso hielo, ¡oh sol!, ponerte». Apocalíptica visión que me recuerda otra, por más cómica más terrible, que he leído en Courteline y que nos pinta el fin de los últimos hombres recogidos en un buque, nueva arca de Noé, en un nuevo diluvio universal. Con los últimos hombres, con la última familia humana, va a bordo un loro; el buque empieza a hundirse, los hombres se ahogan, pero el loro trepa a lo más alto del maste mayor, y cuando este último tope va a hundirse en las aguas el loro lanza al cielo un: «¡Liberté, Egalité, Fraternité!» Y así se acaba la historia.

A esto suelen llamarle pesimismo. Pero no es el pesimismo a que suele referirse el todavía rey de España –hoy, 4 de junio de 1927– Don Alfonso XIII cuando dice que hay que aislar a los pesimistas. Y por eso me aislaron unos meses en la isla de Fuerteventura, para que no contaminase mi pesimismo paradójico a mis compatriotas. Se me indultó luego de aquel confinamiento o aislamiento, a que se me llevó sin habérseme dado todavía la razón o siquiera el pretexto; me vine a Francia sin hacer caso del indulto y me fijé en París, donde escribí el precedente relato, y a fines de agosto de 1925 me vine de París acá, a Hendaya, a continuar haciendo novela de vida. Y es esta parte de mi novela la que voy ahora, lector, a contarte para que sigas viendo cómo se hace una novela.

Escribí lo que precede hace doce días y todo este tiempo lo he pasado, sin poner pluma en estas cuartillas, rumiando el pensamiento de cómo habría de terminar la novela que se hace. Porque ahora quiero acabarla, quiero sacar a mi Jugo de la Raza de la tremenda pesadilla de la lectura del libro fatídico, quiero llegar al fin de su novela como Balzac llegó al fin de la novela de Rafael Valentín. Y creo poder llegar a él, creo poder acabar de hacer la novela, gracias a veintidós meses de Hendaya.

Renuncio, desde luego, a contarte, lector, con porme-
nores la historia de mi estancia aquí, mis aventuras de la
frontera. Ya las contaré en otra parte. Y allí todas las ma-
niobras de los abyectos tiranuelos de España para sacarme de aquí, para que el Gobierno de la República Francesa me interne. Allí contaré cómo se me invitó por el
ministro del Interior, M. Schramek, a alejarme de la
frontera porque mi estancia aquí podía crear «en la hora
actual –escrito el 6 de septiembre de 1925– ciertas dif-
icultades», y para «evitar todo incidente susceptible de
perjudicar las buenas relaciones que existen entre Francia
y España» y «para facilitar la tarea que se impone a las autoridades francesas»; cómo le contesté, escribiendo a la
vez a M. Painlevé, mi amigo, Presidente entonces del
Consejo de Ministros y al señor Quiñones de León, em-
bajador de Don Alfonso ante la República Francesa, y les
contesté negándome a abandonar este rincón de mi nativo país vasco y portería de España y lo que se siguió. Y fue
poco después, el 24 de septiembre, fue el mismo prefecto
de los Bajos Pirineos el que desde Pau vino a verme y a
convencerme, de parte de M. Painlevé, que abandonara
la frontera. Volví a negarme y la tiranía española, que ya
descontaba el triunfo de mi internamiento, emprendió
una campaña policíaca. Contaré cómo la policía española, dirigida por un tal Luis Fenoll, compró aquí, en un ta-
ller de Hendaya, unas pistolas, se fue con ellas a la raya
fronteriza, por la parte de Vera, fingió una escaramuza
con una supuesta partida de comunistas –¡el coco!–, per-
diéronse los policías, toparon con carabineros y llevados
a presencia del capitán don Juan Cueto, mi antiguo y en-
trañable amigo, el cabecilla policíaco Fenoll le declaró
que llevaba, de parte del Directorio militar que regía España, una «alta misión política», que era la de provocar o

más bien fingir un incidente de frontera, una invasión comunista, que justificase el que se me obligara a alejarme
de la frontera. La tramoya fracasó por la lealtad del capitán Cueto, hoy procesado, que la delató y por la torpeza
característica de la policía, mas ni aun así cejaron los abyectos tiranuelos de España –no quiero llamarles españoles– en su empeño de sacarme de aquí. Y algún día contaré las varias incidencias de esta lucha. Por ahora y para
terminar con esta parte externa y casi diría aparencial de
mi vida aquí, sólo diré que hace poco más de un mes, el
16 del pasado mayo, recibí otra carta del señor prefecto
de los Bajos Pirineos, desde Pau, en que me rogaba que
pasase lo más pronto posible –*le plus tôt possible*– por su
despacho para darme parte de una comunicación del Señor Ministro del Interior, a lo que contesté que no debien-
do por muy graves razones especiales salir de Hendaya, le
rogaba que me enviase acá, y por escrito, la tal comunicación. Y hasta hoy. Bien presumí que no se atreverían a co-
municarme nada por escrito, que queda, y por ello me re-
sistí a la palabra que se la lleva el viento. Pero..., ¿queda el
escrito? ¿Se lleva el viento la palabra? ¿Tiene la letra, el esqueleto, más esencia duradera, más eternidad, que el verbo, que la carne? Y heme aquí de nuevo en el centro, en el
hondón de la vida íntima, del «hombre de dentro» que diría San Pablo (Efesios, III, 15), en el tuétano de mi novela,
de mi historia. Lo que me lleva a continuarla, a acabar de
contarte, lector, cómo se hace una novela.

Por debajo de esos incidentes de policía, a la que los tiranuelos rebajan y degradan, la política, la santa política,
he llevado y sigo llevando aquí, en mi destierro de Hendaya, en este fronterizo rincón de mi nativa tierra vasca,
una vida íntima de política hecha religión y de religión
hecha política, una novela de eternidad histórica. Unas

veces me voy a la playa de Ondarraitz, a bañar la niñez
eterna de mi espíritu en la visión de la eterna niñez de la
mar que nos habla de antes de la historia o mejor de debajo de ella, de su sustancia divina, y otras veces, re-
montando el curso del Bidasoa lindero, paso junto a la
isleta de los Faisanes, donde se concertó el casamiento
de Luis XIV de Francia con la infanta de España María
Teresa, hija de nuestro Felipe IV, el Habsburgo, y se fir-
mó el pacto de Familia –«¡ya no hay Pirineos!», se dijo,
como si con pactos así se abatiera montañas de roca milenaria–, y voy a la aldea de Biriatu, remanso de paz. Allí,
en Biriatu, me siento un momento al pie de la iglesiuca,
frente al caserío de Muniorte, donde la tradición local
dice que viven descendientes bastardos de Ricardo Plan-
tagenet, duque de Aquitania, que habría sido rey de In-
glaterra, el famoso Príncipe Negro que fue a ayudar a don
Pedro el Cruel de Castilla, y contemplo la encañada del
Bidasoa, al pie del Choldocogaña, tan llena de recuerdos
de nuestras contiendas civiles, por donde corre más historia que agua, y envuelve mis pensamientos de proscrito
en el aire tamizado y húmedo de nuestras montañas maternales. Alguna vez me llego a Urruña, cuyo reló nos
dice que todas las horas hieren y la última mata –*vulne-
rant omnes, ultima necat*–, o más allá, a San Juan de Luz,
en cuya iglesia matriz se casó Luis XIV con la infanta de
España, tapiándose luego la puerta por donde entraron a
la boda y salieron de ella. Y otras veces me voy a Bayona,
que me reinfantiliza, que me restituye a mi niñez bendita, a mi eternidad histórica, porque Bayona me trae la
esencia de mi Bilbao de hace más de cincuenta años, del
Bilbao que hizo mi niñez y al que mi niñez hizo. El contorno de la catedral de Bayona me vuelve a la basílica de
Santiago de Bilbao, a mi basílica. ¡Hasta la fuente aquella

monumental que tiene al lado! Y todo esto me ha llevado
a ver el final de la novela de mi Jugo.

Mi Jugo se dejaría al cabo del libro, renunciaría al libro
fatídico, a concluir de leerlo. En sus correrías por los
mundos de Dios para escapar de la fatídica lectura iría a
dar a su tierra natal, a la de su niñez, y en ella se encontraría con su niñez misma, con su niñez eterna, con aquella
edad en que aún no sabía leer, en que todavía no era hombre de libro. Y en esa niñez encontraría su hombre interior, el *eso anthropos*. Porque nos dice San Pablo en los
versillos 14 y 15 de la epístola a los Efesios que «por eso
doblo mis rodillas ante el Padre, por quien se nombra
todo lo paterno» –podría sin gran violencia traducirse:
«toda patria»– «en los cielos y en la tierra, para que os dé
según la riqueza de su gloria el robusteceros con poder,
por su espíritu, en el hombre de dentro...». Y este hombre
de dentro se encuentra en su patria, en su eterna patria,
en la patria de su eternidad, al encontrarse con su niñez,
con su sentimiento –y más que sentimiento, con su esencia de fidelidad–, al sentirse hijo y descubrir al padre.
O sea sentir en sí al padre.

Precisamente en estos días ha caído en mis manos y
como por divina o sea paternal providencia, un librito de
Juan Hessen, titulado «Filialidad de Dios» *(Gottes Kind
schaft)*, y en él he leído: «Debería por eso quedar bien en
claro que es siempre y cada vez el niño quien en nosotros
cree. Como el ver es una función de la vista así el creer es
una función del sentido infantil. Hay tanta potencia de
creer en nosotros cuanta infantilidad tengamos». Y no
deja Hessen ¡claro está! de recordarnos aquello del Evangelio de San Mateo (XVIII, 3) cuando el Cristo, el Hijo del
Hombre, el Hijo del Padre, decía: «En verdad os digo que
si no os volvéis y os hacéis como niños no entraréis en el

reino de los cielos». «Si no os volvéis», dice. Y por eso le hago yo volverse a mi Jugo.

Y el niño, el hijo, descubre al padre. En los versillos 14 y 15 del capítulo VIII de la epístola a los Romanos –y tampoco deja de recordarlo Hessen– San Pablo nos dice que «cuantos son llevados por espíritu de Dios éstos son hijos de Dios; pues no recibiréis ya espíritu de servidumbre otra vez para temor, sino que recibiréis espíritu de ahijamiento en que clamemos: *abbá*, ¡padre!». O sea: ¡papá! Yo no recuerdo cuando decía «¡papá!» antes de empezar a leer y a escribir; es un momento de mi eternidad que se me pierde en la bruma oceánica de mi pasado. Murió mi padre cuando yo apenas había cumplido los seis años y toda imagen suya se me ha borrado de la memoria, sustituida –acaso borrada– por las imágenes artísticas o artificiales, las de retratos; entre otras un daguerrotipo de cuando era un mozo, no más que hijo él a su vez. Aunque no toda imagen suya se me ha borrado, sino que confusamente, en niebla oceánica, sin rasgos distintos, aún le columbro en un momento en que se me reveló, muy niño yo, el misterio del lenguaje. Era que había en mi casa paterna de Bilbao una sala de recibo, santuario litúrgico del hogar, a donde no se nos dejaba entrar a los niños, no fuéramos a manchar su suelo encerado o arrugar las fundas de los sillones. Del techo pendía un espejo de bola donde uno se veía pequeñito y deformado, y de las paredes colgaban unas litografías bíblicas, una de las cuales representaba –¡me parece estarla viendo!– a Moisés sacando con una varita agua de la roca como yo ahora saco estos recuerdos de la roca de la eternidad de mi niñez. Junto a la sala un cuarto oscuro donde se escondía la Marmota, ser misterioso y enigmático. Pues bien, un día en que logré yo entrar en la vedada y litúrgica sala de recibo, me encontré a

mi padre –¡papá!– que me acogió en sus brazos, sentado
en uno de los sillones enfundados, frente a un francés, a
un señor Legorgeux –a quien conocí luego– y hablando en
francés. Y qué efecto pudo producir en mi infantil conciencia –no quiero decir sólo fantasía, aunque acaso fantasía y conciencia sean uno y lo mismo– el oír a mi padre,
a mi propio padre –¡papá!– hablar en una lengua que se
sonaba a cosa extraña y como de otro mundo, que es
aquella impresión la que me ha quedado grabada, la del
padre que habla una lengua misteriosa y enigmática. Que
el francés era entonces para mí lengua de misterio.

Descubrí al padre –¡papá!– hablando una lengua de
misterio y acaso acariciándome en la nuestra. Pero, ¿descubre el hijo al padre? ¿O no es más bien el padre el que
descubre al hijo? ¿Es la filialidad que llevamos en las entrañas la que nos descubre la paternidad, o no es más bien la
paternidad de nuestras entrañas la que nos descubre
nuestra filialidad? «El niño es el padre del hombre» ha
cantado para siempre Wordsworth, pero, ¿no es el sentimiento –¡qué pobre palabra!– de paternidad, de perpetuidad hacia el porvenir, el que nos revela el sentimiento de
filialidad, de perpetuidad hacia el pasado? ¿No hay acaso
un sentido oscuro de perpetuidad hacia el pasado, de
preexistencia, junto al sentido de perpetuidad hacia el
futuro, per-existencia o sobre-existencia? Y así se explica-
ría que entre los indios, pueblo infantil, filial, haya más
que la creencia, la vivencia, la experiencia íntima de una
vida –o mejor, una sucesión de vidas– prenatal, como entre nosotros, los occidentales, hay la creencia, en muchos
la vivencia, la experiencia íntima, el deseo, la esperanza vital, la fe en una vida de tras la muerte. Y ese *nirvana* a que
los indios se encaminan –y no hay más que el camino–, ¿es
algo distinto de la oscura vida natal intrauterina, del sue-

ño sin ensueños, pero con inconsciente sentir de vida, de antes del nacimiento, pero después de la concepción? Y he aquí por qué cuando me pongo a soñar en una experiencia mística a contratiempo, o mejor a arredrotiempo, le llamo al morir desnacer y la muerte es otro parto.

«¡Padre, en tus manos pongo mi espíritu!», clamó el Hijo (Lucas, XXIII, 46) al morirse, al desnacer, en el parto de la muerte. O según otro Evangelio (Juan, XIX, 30), clamó: ¡tetélestai! «¡queda cumplido!»

> «¡Queda cumplido!» suspiró, y doblando
> la cabeza –follaje nazareno–
> en las manos de Dios puso el espíritu;
> lo dio a luz;
> que así Cristo nació sobre la cruz;
> y al nacer se soñaba a arredrotiempo
> cuando sobre un pesebre
> murió en Belén
> allende todo mal y todo bien.

«¡Queda cumplido!», y «¡en tus manos pongo mi espíritu!». ¿Y qué es lo que así quedó cumplido?, ¿y qué fue ese espíritu que así puso en manos del Padre, en manos de Dios? Quedó cumplida su obra y su obra fue su espíritu. Nuestra obra es nuestro espíritu y mi obra soy yo mismo que me estoy haciendo día a día y siglo a siglo, como tu obra eres tú mismo, lector, que te estás haciendo momento a momento, ahora oyéndome como yo hablándote. Porque quiero creer que me oyes más que me lees, como yo te hablo más que te escribo. Somos nuestra propia obra. Cada uno es hijo de sus propias obras, quedó dicho, y lo repitió Cervantes, hijo del *Quijote,* pero, ¿no es uno también padre de sus obras? Y Cervantes padre del *Quijote.* De donde uno, sin conceptismo, es padre e hijo de sí

mismo y su obra el espíritu santo. Dios mismo para ser
Padre se nos enseña que tuvo que ser Hijo, y para sentirse
nacer como Padre bajó a morir como Hijo. «Se va al Padre por el Hijo», se nos dice en el cuarto Evangelio (XIV,
6), y que quien ve al Hijo ve al Padre (XIV, 8), y en Rusia
se le llama al Hijo «nuestro padrecito Jesús».

De mí sé decir que no descubrí de veras mi esencia filial, mi eternidad de filialidad, hasta que no fui padre,
hasta que no descubrí mi esencia paternal. Es cuando llegué al hombre de dentro, al *eso anthropos,* padre e hijo.
Entonces me sentí hijo, hijo de mis hijos e hijo de la madre de mis hijos. Y éste es el eterno misterio de la vida. El
terrible Rafael de Valentín de *La piel de zapa,* de Balzac,
se muere, consumido de deseos, en el seno de Paulina y
estertorando, en las ansias de la agonía, «te quiero, te adoro, te deseo...», pero no desnace ni renace porque no es en
el seno de madre, de madre de sus hijos, de su madre,
donde acaba su novela. Y después de esto, en mi novela de
Jugo, ¿le he de hacer acabarse en la experiencia de la paternidad filial, de la filialidad paternal?

Pero hay otro mundo, novelesco también; hay otra novela. No la de la carne, sino la de la palabra, la de la palabra hecha letra. Y ésta es propiamente la novela que,
como la historia, empieza con la palabra o propiamente
con la letra, pues sin el esqueleto no se tiene en pie la carne. Y aquí entra lo de la acción y la contemplación, la política y la novela. La acción es contemplativa, la contemplación es activa; la política es novelesca y la novela es
política. Cuando mi pobre Jugo, errando por los bordes
–no se les puede llamar riberas– del Sena, dio con el libro
agorero y se puso a devorarlo y se ensimismó en él, con-
virtióse en un puro contemplador, en un mero lector, lo
que es algo absurdo e inhumano; padecía la novela, pero

no la hacía. Y yo quiero contarte, lector, cómo se hace una novela, cómo haces y has de hacer tú mismo tu propia novela. El hombre de dentro, el intra-hombre, cuando se hace lector, contemplador, si es viviente ha de hacerse lector, contemplador del personaje a quien va a la vez que leyendo, haciendo, creando; contemplador de su propia obra. El hombre de dentro, el intra-hombre –y éste es más divino que el tras-hombre o sobre-hombre nietzscheniano– cuando se hace lector hácese por lo mismo autor, o sea actor; cuando lee una novela se hace novelista, cuando lee historia, historiador. Y todo lector que sea hombre de dentro, humano, es, lector, autor de lo que lee y está leyendo. Esto que ahora lees aquí, lector, te lo estás diciendo tú a ti mismo, y es tan tuyo como mío. Y si no es así es que ni lo lees. Por lo cual te pido perdón, lector mío, por aquella más que impertinente insolencia que te solté de que no quería decirte cómo acababa la novela de mi Jugo, mi novela y tu novela. Y me pido perdón a mí mismo por ello.

¿Me has comprendido, lector? Y si te dirijo así esta pregunta es para poder colocar a seguida lo que acabo de leer en un libro filosófico italiano –una de mis lecturas de azar–, *Le sorgenti irrazionali del pensiero,* de Nicola Abbagnano, y es esto: «Comprender no quiere decir penetrar en la intimidad del pensamiento ajeno, sino tan sólo traducir en el *propio* pensamiento, en la propia verdad, la soterraña experiencia en que se funde la vida propia y ajena». Pero, ¿no es esto acaso penetrar en la entraña del pensamiento de otro? Si yo traduzco en mi propio pensamiento la soterraña experiencia en que se funden mi vida y tu vida, lector, o si tú la traduces en el propio tuyo, y si nos llegamos a comprender mutuamente, a prendernos conjuntamente, ¿no es que he penetrado yo en la intimi-

dad de tu pensamiento a la vez que penetrabas tú en la intimidad del mío y que no es ni mío ni tuyo, sino común de los
dos? ¿No es acaso que mi hombre de dentro, mi intra-hombre, se toca y hasta se une con tu hombre de dentro, con tu
intra-hombre, de modo que yo viva en ti y tú en mí?

Y no te sorprenda el que así te meta mis lecturas de
azar y te meta en ellas. Gusto de las lecturas de azar, del
azar de las lecturas, a las que caen, como gusto de jugar
todas las tardes, después de comer, el café aquí, en el
Grand Café de Hendaya, con otros tres compañeros, y al
tute. ¡Gran maestro de vida de pensamiento el tute! Porque el problema de la vida consiste en saber aprovecharse
del azar, en darse maña para que no le canten a uno las
cuarenta, si es que no tute de reyes o de caballos, o en can-
tarlos uno cuando el azar se los trae. ¡Qué bien dice Mon-
tesinos en el *Quijote!*: «¡Paciencia y barajar!». ¡Profundísi-
ma sentencia de sabiduría quijotesca! ¡Paciencia y
barajar! Y mano y vista prontas al azar que pasa. ¡Paciencia y barajar! Que es lo que hago aquí, en Hendaya, en la
frontera, yo con la novela política de mi vida, y con la religiosa: ¡paciencia y barajar! Tal es el problema.

Y no me saltes diciendo, lector mío –¡y yo mismo,
como lector de mí mismo!– que en vez de contarte, según
te prometí, cómo se hace una novela, te vengo plantean-
do problemas, y lo que es más grave, problemas metapolí-
ticos y religiosos. ¿Quieres que nos detengamos un momento en esto del problema? Dispensa a un filólogo
helenista que te explique la novela, o sea, la etimología de
la palabra *problema*. Que es el sustantivo que representa
el resultado de la acción de un verbo, *proballein,* que significa echar o poner por delante, presentar algo, y equivale al latino *proiicere,* proyectar, de donde problema viene
a equivaler a *proyecto*. Y el problema, ¿proyecto de qué es?

¡De acción! El proyecto de un edificio es proyecto de construcción. Y un problema presupone no tanto una solución, en el sentido analítico, o disolutivo, cuanto una construcción, una creación. Se resuelve haciendo. O dicho en otros términos, un *proyecto* se resuelve en un *trayecto,* un *problema* en un *metablema,* en un cambio. Y sólo con la acción se resuelven problemas. Acción que es contemplativa como la contemplación es activa, pues creer que se pueda hacer política sin novela o novela sin política es no saber lo que se quiere hacer.

Gran político de acción, tan grande como Pericles, fue Tucídides, el maestro de Maquiavelo, el que nos dejó «para siempre» –«¡para siempre!»: es su frase y su sello– la historia de la guerra del Peloponeso. Y Tucídides hizo a Pericles tanto como Pericles a Tucídides. Dios me libre de comparar al rey don Alfonso XIII, al botarate de Primo de Rivera o al epiléptico Martínez Anido, tiranuelos de España, con un Pericles, con un Cleón o con un Alcibiades, pero estoy penetrado de que yo, Miguel de Unamuno, les he hecho hacer y decir no pocas cosas y entre ellas muchas tonterías. Si ellos me hacen pensar y hacerme en mi pensamiento –que es mi obra y mi acción– yo les hago obrar y acaso pensar. Y entre tanto ellos y yo vivimos.

Y así es, lector, cómo se hace para siempre una novela.

Terminado el viernes 17 de junio de 1927 en Hendaya, Bajos Pirineos, frontera entre Francia y España.

Martes 21.

¿Terminado? ¡Qué pronto escribí eso! ¿Es que se puede terminar algo, aunque sólo sea una novela, de cómo se hace una novela? Hace ya años, en mi primera mocedad, oí hablar a mis amigos wagnerianos de melodía infinita. No sé bien lo que es esto, pero debe de ser como la vida y su novela, que nunca terminan. Y como la historia.

Porque hoy me llega un número de *La Prensa,* de Buenos Aires, el del 22 de mayo de este año, y en él un artículo de *Azorín* sobre Jacques de Lacretelle. Éste envió a aquél un librito suyo titulado *Aparté,* y *Azorín* lo comenta. «Se compone –nos dice éste hablándonos del librito de Lacretelle (no de de Lacretelle, amigos argentinos)– de una novelita titulada *Cólera,* de un "Diario", en que el autor explica cómo ha compuesto la dicha novela y de unas páginas filosóficas, críticas, dedicadas a evocar la memoria de Juan Jacobo Rousseau en Ermenonville.» No conozco el librito de J. de Lacretelle –o de Lacretelle– más que por este artículo de *Azorín,* pero encuentro profundamente significativo y simbólico el que un autor que escribe un Diario para explicar cómo ha compuesto una novela evoque la memoria de Rousseau, que se pasó la vida explicándonos cómo se hizo la novela de esa su vida, o sea su vida representativa, que fue una novela.

Añade luego *Azorín:*

«De todos estos trabajos, el más interesante, sin duda, es el "Diario de cólera", es decir, las notas que, si no día por día, al menos muy frecuentemente, ha ido tomando el autor sobre el desenvolvimiento de la novela que llevaba entre manos. Ya se ha escrito, recientemente, otro diario de esta laya; me refiero al libro que el sutilísimo y elegante André Gide ha escrito para explicar la génesis y proceso de cierta novela suya. El género debiera propagarse. Todo novelista, con motivo de una novela suya, podría escribir otro libro –novela veraz, auténtica– para dar a conocer el mecanismo de su ficción. Cuando yo era niño –supongo que ahora pasa lo mismo– me interesaban mucho los relojes: mi padre o alguno de mis tíos solía enseñarme el suyo; yo lo examinaba con cuidado, con admiración; lo ponía junto a mi oído; escuchaba el precipitado y perseverante tictac; veía cómo el minutero avanzaba con mucha lentitud; finalmente, después de visto todo lo exterior de la muestra, mi padre o mi tío levantaba –con la uña o con un cortaplumas– la tapa posterior y me enseñaba el complicado y sutil organismo... Los novelistas que ahora hacen libros para explicar el mecanismo de su novela, para hacer ver cómo ellos proceden al escribir, lo que hacen, sencillamente, es levantar la tapa del reló. El reló del señor Lacretelle es precioso; no sé cuántos rubíes tiene la maquinaria; pero todo es pulido, brillante. Contemplémosla y digamos algo de lo que hemos observado».

Lo que merece comentario:

Lo primero, que la comparación del reló está muy mal traída y responde a la idea del «mecanismo de su ficción». Una ficción de mecanismo, mecánica, no es ni puede ser novela. Una novela, para ser viva, para ser vida, tiene que ser, como la vida misma, organismo y no mecanismo. Y no sirve levantar la tapa del reló. Ante todo porque una verdadera novela, una novela viva, no tiene tapa, y luego porque no es maquinaria lo que hay que mostrar, sino entrañas palpitantes de vida, calientes de sangre. Y eso se ve fuera. Es como la cólera que se ve en la cara y en los ojos y sin necesidad de levantar tapa alguna.

El relojero, que es un mecánico, puede levantar la tapa del reló para que el cliente vea la maquinaria, pero el novelista no tiene que levantar nada para que el lector sienta la palpitación de las entrañas del organismo vivo de la novela, que son las entrañas mismas del novelista, del autor. Y las del lector identificado con él por la lectura.

Mas, por otra parte, el relojero conoce reflexivamente, críticamente, el mecanismo del reló, pero el novelista, ¿conoce así el organismo de su novela? Si hay tapa en ésta, la hay para el novelista mismo. Los mejores novelistas no saben lo que han puesto en sus novelas. Y si se ponen a hacer un diario de cómo las han escrito es para descubrirse a sí mismos. Los hombres de diario o de autobiografías y confesiones, San Agustín, Rousseau, Amiel, se han pasado la vida buscándose a sí mismos –buscando a Dios en sí mismos–, y sus diarios, autobiografías o confesiones no han sido sino la experiencia de esa rebusca. Y esa experiencia no puede acabar sino con su vida.

¿Con su vida? ¡Ni con ella! Porque su vida íntima, entrañada, novelesca, se continúa en la de sus lectores. Así como empezó antes. Porque nuestra vida íntima, entrañada, novelesca, ¿empezó con cada uno de nosotros? Pero de esto ya he dicho algo y no es cosa de volver a lo dicho. Aunque, ¿por qué no? Es lo propio del hombre del diario, del que se confiesa, el repetirse. Cada día suyo es el mismo día.

Y ¡ojo con caer en el diario! El hombre que da en llevar un diario –como Amiel– se hace el hombre del diario, vive para él. Ya no apunta en su diario lo que a diario piensa, sino que lo piensa para apuntarlo. Y en el fondo ¿no es lo mismo? Juega uno con eso del libro del hombre y el hombre del libro, pero ¿hay hombres que no sean de libro? Hasta los que no saben ni leer ni escribir. Todo hombre, verdaderamente hombre, es hijo de una leyenda, escrita u oral. Y no hay más que leyenda, o sea novela.

Quedamos, pues, en que el novelista que cuenta cómo se hace una novela cuenta cómo se hace un novelista, o sea cómo se hace un hombre. Y muestra sus entrañas humanas, eternas y universales, sin tener que levantar tapa

alguna de reló. Esto de levantar tapas de reló se queda
para literatos que no son precisamente novelistas.

¡Tapa de reló! Los niños despanzurran a un muñeco, y
más si es de mecanismo, para verle las tripas, para ver lo
que lleva dentro. Y, en efecto, para darse cuenta de cómo
funciona un muñeco, un fantoche, un *homunculus* mecánico, hay que despanzurrarle, hay que levantar la tapa del
reló. Pero ¿un hombre histórico?, ¿un hombre de verdad?,
¿un actor del drama de la vida?, ¿un sujeto de novela? Éste
lleva las entrañas en la cara. O dicho de otro modo, su entraña –*intranea*–, lo de dentro, es su extraña –*extranea*–,
lo de fuera; su forma es su fondo. Y he aquí por qué toda
expresión de un hombre histórico verdadero es autobio-
gráfica. Y he aquí por qué un hombre histórico verdadero
no tiene tapa. Aunque sea hipócrita. Pues precisamente
son los hipócritas los que más llevan las entrañas en la
cara. Tienen tapa, pero es de cristal.

Jueves 30-VI.

Acabo de leer que como Federico Lefevre, el de las conversaciones con hombres públicos para publicarlas en
Les Nouvelles Littéraires –a mí me sometió a una–, le preguntara a Jorge Clemenceau, el mozo de ochenta y cinco
años, si se decidiría a escribir sus Memorias, éste le contestó: «¡Jamás!, la vida está hecha para ser vivida y no para
ser contada». Y, sin embargo, Clemenceau, en su larga
vida quijotesca de guerrillero de la pluma no ha hecho
sino contar su vida.

Contar la vida, ¿no es acaso un modo, y tal vez el más
profundo, de vivirla? ¿No vivió Amiel su vida íntima contándola? ¿No es su *Diario* su vida? ¿Cuándo se acabará esa

contraposición entre acción y contemplación? ¿Cuándo
se acabará de comprender que la acción es contemplativa
y la contemplación es activa? \ Repeticiones

Hay lo hecho y hay lo que se hace. Se llega a lo invisible de Dios por lo que está hecho: *-per ea quæ facta
sunt,* según la versión latina canónica, no muy ceñida al
original griego, de un pasaje de San Pablo (Romanos, I,
20)-, pero ese es el camino de la naturaleza, y la naturaleza es muerta. Hay el camino de la historia, y la historia es viva; y el camino de la historia es llegar a lo invisible de Dios, a sus misterios, por lo que se está haciendo,
per ea quæ fiunt. No por poemas –que es la expresión
precisa pauliniana–, sino por poesías; no por entendi-
miento, sino por intelección, o mejor por intención
–propiamente *intensión*–. (¿Por qué, ya que tenemos
extensión e *intensidad,* no hemos de tener *intensión*
y *extensidad?*)

Vivo ahora y aquí mi vida contándola. Y ahora y aquí
es de la actualidad, que sustenta y funde a la sucesión del
tiempo así como la eternidad la envuelve y junta.

Domingo 3-VII.

Leyendo hoy una historia de la mística filosófica de la
Edad Media he vuelto a dar con aquella sentencia de San
Agustín en sus *Confesiones,* donde dice (lib. 10, c. 33, n. 50)
que se ha hecho problema en sí mismo: *mihi quaestio
factus sum* –porque creo que es por problema como hay
que traducir *quaestio*–. Y yo me he hecho problema,
cuestión, proyecto de mí mismo. ¿Cómo se resuelve esto?
Haciendo del proyecto trayecto, del problema *meta-pro-
blema;* luchando. Y así luchando, civilmente, ahondando

en mí mismo como problema, cuestión, para mí, trascenderé de mí mismo y hacia adentro, concentrándome para irradiarme, y llegaré al Dios actual, al de la historia.

Hugo de San Víctor, el místico del siglo XII, decía que subir a Dios era entrarse en sí mismo y no sólo entrar en sí sino pasarse de sí mismo, en lo de más adentro –*in intimis etiam seipsum transire*–, de cierto inefable modo, y que lo más íntimo es lo más cercano, lo supremo y eterno. Y a través de mí mismo, traspasándome, llego al Dios de mi España en esta experiencia del destierro.

Lunes 4-VII.

Ahora que ha venido mi familia y me he establecido con ella, para los meses de verano, en una *villa,* fuera del hotel, he vuelto a ciertos hábitos familiares, y entre ellos a entretenerme haciendo, entre los míos, solitarios a la baraja, lo que aquí, en Francia, llaman *patience.*

El solitario que más me gusta es uno que deja un cierto margen de cálculo del jugador, aunque no sea mucho. Se colocan los naipes en ocho filas de cinco en sentido vertical –o sea cinco filas de ocho en sentido horizontal, claro que en el significado abusivo en que se llama vertical y horizontal en un plano horizontal– y se trata de sacar desde abajo los ases y los doses poniendo las 32 cartas que quedan en cuatro filas verticales de mayor a menor y sin que se sigan dos de un mismo palo, o sea, que a una sota de oros, por ejemplo, no debe seguir un siete de oros también, sino de cualquiera de los otros tres palos. El resultado depende en parte de cómo se empiece; hay que saber, pues, aprovechar el azar. Y no es otro el arte de la vida en la historia.

Mientras sigo el juego, ateniéndome a sus reglas, a sus normas, con la más escrupulosa conciencia normativa, con un vivo sentimiento del deber, de la obediencia a la ley que me he creado –el juego bien jugado es la fuente de la conciencia moral–, mientras sigo el juego es como si una música silenciosa brezara mis meditaciones de la historia que voy viviendo y haciendo. Y mientras manejo reyes, caballos, sotas y ases pasan en el hondón de mi conciencia y sin yo darme entera cuenta, el rey, los tiranuelos pretorianos de mi patria, sus sayones y ministriles, los obispos y toda la baraja de la farsa de la dictadura. Y me chapuzo en el juego y juego con el azar. Y si no resulta una jugada vuelvo a mezclar los naipes y a barajarlos. Lo que es un placer.

Barajar los naipes es algo, en otro plano, como ver romperse las olas de la mar en la arena de la playa. Y ambas cosas nos hablan de la naturaleza en la historia, del azar en la libertad.

Y no me impaciento si la jugada tarda en resolverse y no hago trampas. Y ello me enseña a esperar que se resuelva la jugada histórica de mi España, a no impacientarme por su solución, a barajar y tener paciencia en este otro juego solitario y de paciencia. Los días vienen y se van como vienen y se van las olas de la mar; los hombres vienen y se van –a las veces se van y luego vienen– como vienen y se van los naipes, y este vaivén es la historia. Allá a lo lejos, sin que yo conscientemente lo oiga, resuena, en la playa, la música de la mar fronteriza. Rompen en ella las olas que han venido lamiendo costa de España.

¡Y qué cosas me sugieren los cuatro reyes, con sus cuatro sotas, los de espadas, bastos, oros y copas, caudillos de las cuatro filas del orden vencedor. ¡El orden!

¡Paciencia, pues, y barajar!

Martes 5-VII.

Sigo pensando en los solitarios, en la historia. El solitario es el juego de azar. Un buen matemático podría calcular la probabilidad que hay de que salga o no una jugada. Y si se ponen dos sujetos en competencia a resolverla, lo natural es que en un mismo juego obtengan el mismo tanto por ciento de soluciones. Mas la competencia debe ser a quien resuelve más jugadas en igual tiempo. Y la ventaja del buen jugador de solitarios, no que juegue más deprisa, sino que abandone más jugadas apenas empezadas y en cuanto prevé que no tienen solución. En el arte supremo de aprovechar el azar la superioridad del jugador consiste en resolverse a abandonar a tiempo la partida para poder empezar otra. Y lo mismo en la política y en la vida.

Miércoles 6-VII.

¿Es que voy a caer en aquello de *nulla dies sine linea,* ni un día sin escribir algo para los demás –ante todo para sí mismo– y para siempre? Para siempre de sí mismo, se entiende. Esto es caer en el hombre del diario. ¿Caer? ¿Y qué es caer? Lo sabrán esos que hablan de decadencia. Y de ocaso. Porque ocaso, *ocasus,* de *occidere,* morir, es un derivado de *cadere,* caer. Caer es morirse.

Lo que me recuerda aquellos dos inmortales héroes –¡héroes, sí!– del ocaso de Flaubert, modelo de novelistas –¡qué novela su *Correspondencia!*–, los que le hicieron cuando decaía para siempre. Que fueron Bouvard y Pécuchet. Y Bouvard y Pécuchet, después de recorrer todos los rincones del espíritu universal acabaron en escribientes. ¿No sería lo mejor que acabase la novela de mi Jugo de la Raza haciéndole que, abandonada la lectura del libro fatídico, se dedique a hacer solitarios y haciendo solitarios esperar que se le acabe el libro de su vida? De la vida y de la vía, de la historia que es camino.

Vía y patria, que decían los místicos escolásticos, o sea: historia y visión beatífica. Pero, ¿son cosas distintas? ¿No es ya patria el camino? Y la patria, la celestial y eterna se entiende, la que no es de este mundo, el reino de Dios cuyo advenimiento pedimos a diario –los que lo pedimos–, esa patria ¿no seguirá siendo camino?

Mas, en fin, ¡hágase su voluntad así en la tierra como en el cielo!, o como cantó Dante, el gran proscrito:

> In la sua volontade é nostra pace.
>
> (Paradiso, III, 91).

E pur si muove! ¡Ay, que no hay paz sin guerra!

Jueves 7-VII.

El camino, sí, la vía, que es la vida, y pasársela haciendo solitarios –tal la novela–. Pero los solitarios son solitarios, para uno mismo solo; no participan de ellos los demás. Y la patria que hay tras de ese camino de solitarios, una patria de soledad –de soledad y de vacío–. Cómo se hace una novela, ¡bien!, pero ¿para qué se hace? Y el para qué es el porqué. ¿Por qué o sea para qué se hace una novela? Para hacerse el novelista. ¿Y para qué se hace el novelista? Para hacer al lector, para hacerse uno con el lector. Y sólo haciéndose uno el novelador y el lector de la novela se salvan ambos de su soledad radical. En cuanto se hacen uno se actualizan y actualizándose se eternizan.

Los místicos medievales –San Buenaventura, el franciscano, lo acentuó más que otro– distinguen entre *lux,* luz, y *lumen,* lumbre. La luz queda en sí; la lumbre es la que se comunica. Y un hombre puede lucir –y lucirse–, alumbrar –y alumbrarse.

Un espíritu luce, pero ¿cómo sabremos que luce si no nos alumbra? Y hay hombres que se lucen, como solemos decir. Y los que se lucen es con propia complacencia; se muestran para lucirse. ¿Se conoce a sí mismo el que se luce? Pocas veces. Pues como no se cuida de alumbrar a los demás, no se alumbra a sí mismo. Pero el que no sólo luce, sino que al lucir alumbra a los otros, se luce alumbrándose a sí mismo. Que nadie se conoce mejor a sí mismo que el que se cuida de conocer a los otros. Y puesto que conocer es amar, acaso convendría variar el divino precepto y decir: ámate a ti mismo como amas a tu prójimo.

¿De qué te serviría ganar el mundo si perdieras tu alma? Bien; pero y ¿de qué te serviría ganar tu alma si perdieras el mundo? Pongamos en vez de mundo la comunión humana, la comunidad humana, o sea la comunidad común.

Y he aquí cómo la religión y la política se hacen una en la novela de la vida actual. El reino de Dios –o, como quería San Agustín, la ciudad de Dios– es en cuanto ciudad política y en cuanto de Dios religión.

Y yo estoy aquí, en el destierro, a la puerta de España y como su ujier, no para lucir y lucirme, sino para alumbrar y alumbrarme, para hacer nuestra novela, historia, la de nuestra España. Y al decir que estoy para alumbrarme, con este «me» no quiero referirme, lector mío, a mi yo solamente, sino a tu yo, a nuestros yos. Que no es lo mismo nosotros que yos.

El desdichado Primo de Rivera cree lucirse, pero ¿se alumbra? En el sentido vulgar y metafórico sí, se alumbra, pero de todo tiene menos de alumbrado. Y ni alumbra a nadie. Es un fuego fatuo, una lucecita que no puede hacer sombra.

Hendaya [julio de] 1927

Índice

Miguel

de Unamuno

Del sentimiento trágico de la vida

BA 0086

Como apunta Fernando Savater en el prólogo a esta
edición, los escritores más notables de una época pasan
al morir por un purgatorio de duración variable tras el
cual se instalan para siempre en la gloria de los elegidos
o en el infierno del olvido. A MIGUEL DE UNAMUNO
sin duda le ha correspondido la gloria y DEL
SENTIMIENTO TRÁGICO DE LA VIDA EN LOS HOMBRES
Y EN LOS PUEBLOS, publicada en 1913, es la obra en
que su voz inconfundible resuena con mayor intensidad y
hondura.

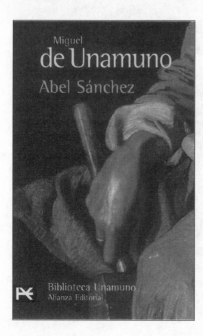

Miguel
de Unamuno
Abel Sánchez

BA 0087

Publicada en 1919, ABEL SÁNCHEZ no tuvo una feliz
acogida, debido probablemente —como el propio autor
escribía en 1920— a que «las gentes huyen de la tragedia
cuando ésta es íntima». Sin embargo, el paso del tiempo
ha situado esta impresionante parábola del conflicto
fratricida entre las grandes obras de MIGUEL DE
UNAMUNO (1864-1936). En el prólogo a esta edición,
Luciano González Egido explica las razones por las que
esta «novela quirúrgica» sobre la envidia se adelantó a su
época.

Miguel
de Unamuno
**Paisajes del
alma**

BA 0088

PAISAJES DEL ALMA recopila treinta y cuatro artículos
de MIGUEL DE UNAMUNO (1864-1936), escritos en su
mayoría con posterioridad a 1922 y ordenados por M.
García Blanco según criterios cronológicos y temáticos.
Diversos entornos geográficos y ciudades sirven de
inspiración al escritor: Pompeya, el Bilbao de su niñez y
mocedad, las Canarias de su destierro bajo Primo de
Rivera, los paisajes de Castilla, etc. Cierra la recopilación
el artículo «País, paisaje y paisanaje», dedicado a «esta
mano tendida al mar poniente que es la tierra de
España».